일인칭 시점

일인칭 시점

지은이 김초아
디자인 Ankhtsetseg (안세라)

발 행 2024년 08월 26일
펴낸이 한건희
펴낸곳 주식회사 부크크
출판사등록 2014.07.15.(제2014-16호)
주 소 서울특별시 금천구 가산디지털1로 119 SK트윈타워 A동 305호
전 화 1670-8316
이메일 info@bookk.co.kr

ISBN 979-11-419-0192-9

www.bookk.co.kr

일인칭 시점

김초아

BOOKK

차례

두 나비

온

어리다고 모르지 않았다.

담임 선생님께서는 조용히 이 시간이 끝나길 바라고 계시다는 것을. 졸업을 한 달 앞둔 마당에 학교 폭력에 관한 이야기를 하는 학생을 반기지 않는다는 것을. 그렇다고 참고 지나갔으면 안 됐다는 것을 어리다고 모르지 않았다.

어려서 몰랐다.

내가 이 유치한 장난에 너무 큰 상처를 받아 몇 년을 울고 죽고 싶어 할지도 모른다는 것을. 어쩌면 평생을 이 장난과 얼굴을 마주하며 살아가야 할지도 모른다는 것을. 그 아이가 없는 곳에서도 똑같은 장난이 반복될지도 모른다는 것을 어려서 몰랐다.

중학교를 졸업하면 그 아이가 내 시야에서 사라질 테니 모든 게 원래대로 돌아올 것 같다고 어리석게만 생각했다. 그 아이와 애초에 만난 적이 없었던 것처럼 평온하고 안정된 매일을 보낼 수 있게 될 거라고. 그러나 시간이 지날수록 시야에서 사라지기는커녕 환상 속에서 그 아이와 더 자주 눈을 맞추게 됐고 그 아이를 미워하기보단 나를 자책하며 마음을 더 무너뜨려버리는 게 습관이 됐다.

내가 그 실수를 저질렀기 때문에 그 장난을 당하기에 마땅했으며 사실 그 아이의 인기가 부러워 열등감에 실수를 인정하지 않았고 작았던 상처를 스스로 크게 키운 거라고. 하도 세상이 학교 폭력으로 인해 떠들썩하니까 이때다 싶어 몇 년 전 있었던 작은 상처를 가지고 과장하고 있는 거라고. 내가 정말 그렇게 큰 상처를 받은 거였으면 그 당시에 어떻게 해서든 그 아이를 벌받게 하고 싶어 경찰에 신고라도 했을 거라고.

시간이 지나면 자연스레 묻히고 잊혀졌을 일이 되려 끝도 없이 무너지는 마음과 자책들로 인해 시간이 지날수록 더 선명해졌다.

그 아이를 더 미워하지도 못한 채로 나를 더 사랑하지도 못한 채로 거의 매일 넋의 파편들을 지르밟았다.

정답을 찾으려 수없이 과거를 난도질하는 것은 꽤나 난해한 일이었다. 왜라는 의문점에서 시작된 그 아이를 향한 질문들이 항상 어쩌면이라는 나에 대한 사격으로 바뀌고는 했으니까. 그 총알이 무섭게 날아다니는 사격장 한가운데에 자주 나를 던져 놓고는 했으니까. 항상 마침표를 찍지 못한 채로 과거를 마무리하는 느낌은 꽤나 더러웠다.

이 오랜 상처가 시작될 때부터 지금까지 쭉 내 모든 자책과 그 아이에 대한 험담을 읽어줬던 결은 늘 내 값어치를 헐값에 매기지 말라며 자존감을 지켜주기 위해 애를 썼다. 내가 자책과 험담을 늘어놓으면 늘어놓을수록, 그 주기가 짧아지면 짧아질수록 결 또한 나만큼 힘들어지고 우울해질 수 있음을 잘 알고 있었지만 당장에 내가 미칠 것 같았기 때문에 결을 배려하며 자책과 험담을 혼자 삼켜내고 싶지가 않았다. 그게 내가 사는 세상의 방식이었고 그게 내가 열여섯을 지우는 방식이었다.

결에게 하소연을 늘어놓는다고 마음이 괜찮아지는 것도 아니었다. 하소연을 하면 할수록 스스로가 너무 찌질해보였다. 아프지 않았다. 멍이 들지 않았다. 피가 나지 않았다. 뼈가 부러지지 않았고 어딘가로 강제로 끌려가지 않았다. 살이 쪄 뚱뚱해진 것만 빼면 보기에는 상당히 멀쩡해 보이는 내가 자꾸만 아프다 죽겠다 하소연하는 게 찌질하고 염치없어 보였다. 고문을 당하듯 맞았다는 사람, 강제로 성폭행을 당했다는 사람, 협박을 당해 스스로 목숨을 끊었다는 사람. 그런 사람들 앞에서 보이지도 않는 상처를 보여주려 애쓰며 나도 당신과 같은 피해자라는 말을 한다는 건 나는 모지리라고 이마에 써 놓는 격인 것 같았다.

스스로가 그렇게 찌질해 보여도 죽지 않으려면 어떤 말이라도 해야 했다. 현타가 올 때까지 계속해서 열여섯을 말하고 기억하고 토해내야만 죽지 않을 수 있었기 때문에 폭력이라는 이름을 짓궂은 장난이라는 다른 이름을 붙여 나에 대한 자괴감 없이 그 아이만을 온전히 미워할 수 있도록 해야 했다. 모든 순간을 그저 살아내려 애쓰면서도 수많은 기억과 언어들 속에서 끔찍히 죽어가고 있었다. 열여섯을 말해야 살 수 있는 사람이었지만 동시에 선명해지는 기억들로 죽어가는 사람이었다. 살기 위해서는 죽어야 했던 사람. 그야말로 살아있는 시체 아닌가.

온전한 피해자가 되고 싶었다. 나도 떳떳하게 학교 폭력을 당했다고, 가해자는 저 아이라고 말할 수 있는 사람이고 싶었다. 동정을 받고 싶었다기보단 그 아이가 한 사람 인생에 얼마나 많은 결함을 냈는지를 알아주길 바랐다. 나름대로의 복수 시나리오도 결국은 그 아이를 시기 질투해 그저 무너뜨리려고 애쓰는 사람밖에 되지 않을까봐, 다른 피해자들보다 고통스럽지도 않으면서 작은 일로 찡찡대는 사람밖에 되지 않을까 봐 그저 간결히 짓궂은 장난이었다고 말할 수 밖에 없었다.

　고작 말뿐인 것들, 그러니까 형체가 보이지도 않는 것들에게 매 순간 주저앉혀지는 것은 당장 힘들고 죽겠고 하는 감정보다도 내가 이렇게나 나약한 사람이었다는 사실에 매번 자존심이 상했다. 어릴 적의 나는 이렇게나 나약하지 않았다. 나를 때리는 사람이 있다면 페널티가 존재하더라도 주저 않고 두 대로 대갚음하리라 다짐했던 단단한 어린 날의 나였기 때문에 더욱 인정하기가 힘들었을지도 모르겠다. 영원한 굴레에 갇힌 듯 그 아이가 생각나면 스스로 끝없는 파열과 추락을 반복했다. 어쩌면 모두 내 탓이 아닐까 자책하던 나들과 날들의 연속. 존재하는지도 모르겠는 그 누군가에게 묻고 싶었다. 나는 누굴 위해 이렇게 죽어가고 있느냐고.

　그 당시를 직접 겪었던 열여섯은 지금만큼 괴롭지 않았다. 적어도 지금보다는 행복했다. 내가 고등학생이 될 때까지도 날 괴롭힌 그 아이는 그 중학교에서 가장 사랑받는 아이였다. 그 아이는 좌우 대칭이 흐트러지지 않은 예쁜 얼굴이었고, 아주 어릴 적부터 친구들이 많았고, 그 아이의 오빠라는 사람은 이 작디작은 시골 동네에서 꽤 유명한 사람이었다. 그 때문인지 그 아이와 친해지고 싶어하는 열네 살의 또래 친구들은 중학교에 입학하기도 전부터 그 아이에게 친해지자며 먼저 편지를 보내기도 하고 생일이면 선물은 못 줄지언정 축하한다는 말은 꼭 전하기도 했다.

나 역시 예외는 아니었다. 그 아이를 동경했으며 친해지고 싶었다. 그 아이가 말 한 마디 붙여준 날이면 괜히 친해진 것 같아 잠들기 전까지 기분이 좋기도 했고 그 아이가 말을 걸어줬다며 동네방네 소문을 내고 싶기도 했다. 내게는 우상 같은 존재였다.

그렇게 친해지고 싶어 했던 것도 잠시 자유 학기제가 끝나고 정식적으로 시험을 보게 된 열다섯 살 때는 접점이랄 것도 없었다. 그 아이와 교실 배치가 멀어져 얼굴을 마주할 일이 없었을 뿐더러 그 아이와 친해지기 작전에 대한 열정이 조금씩 사그라들던 시기였기 때문이었을 것이다. 오직 시험 뿐이었던 열다섯이 지난 열여섯 여름 졸업 사진을 찍을 때쯤 내가 장난이라 별명 붙인 그 일이 일어났고 한동안 점심을 거르기도, 집에 오는 길에 많이 울기도 했다.

야외에서 촬영하는 졸업 사진은 두 반씩 따로 나누어 촬영해야 했고, 그 아이는 7반이었기 때문에 그 아이의 학급과 8반이었던 나의 학급이 같이 야외에서 졸업 사진을 촬영해야 했다. 우리 반의 차례가 오기 전까지 나와 친구들은 교실 쓰레기통 위에 걸려있던 거울 앞에 한참을 서 있었다. 누구는 내 웨딩 베일을 고정시켜주고 있었고, 누구는 자기 화장을 수정하고 있었고, 누구는 한창 추억으로 남길 사진을 찍었다. 누구보다 열여섯스럽게 각자에게만 시선이 고정된 채로 각자의 열여섯 촬영을 준비하고 있었다.

예쁘다.

　그 아이와 오랜 악연이 시작된 것은 아마 그 아이가 내게 예쁘다는 말을 해준 그 순간일 것이다. 그 아이와 그 아이의 친구들이 나를 지나치다 멈춰 서더니 예쁘다며 칭찬을 해줬다. 웨딩 베일에 시야가 가려져 앞을 볼 수 없었으나 목소리와 말투만으로도 예쁘다고 해준 목소리의 주인이 누구인지, 그 목소리에 호응해주는 주위 친구들이 누구인지 단번에 알 수 있었다. 그 아이는 내 얼굴을 가리며 살포시 앉아있던 웨딩 베일을 걷히고 내 존재를 확인했다.

온이었구나.
웨딩 컨셉인가 보네.
예쁘다.

　시선을 어디에 고정시켜야 할지 불안해하는 나를 앞에 두고 그 아이와 친구들은 수다를 떨다가 자리를 떠났다. 그 말이 소위 말한다는 꼽을 준다는 개념이었으면 그 아이의 말을 그렇게까지 좋아하지는 않았을 거다. 그리고 야외 졸업 사진을 촬영하고 일주일이 지났을 무렵부터 익명으로 사물함에 편지가 오기 시작했다.

안녕, 온아.

　첫 편지는 우리 반 남자아이인 척 위장해 써 놓은 고백 편지였다.

그 남자아이와 나는 친한 사이였기 때문에 당사자가 아닌 것을 확인하고는 편지를 무시했다. 그 때까지도 그저 같은 반 친구의 단순한 장난이겠거니 생각했다. 그 편지가 이 모든 악몽의 시작일 줄은. 아니, 사실 그게 악몽이었을 줄은 꿈에도 몰랐다.

너 졸업 사진 별로더라.

두 번째 편지는 졸업 사진을 촬영하던 때를 비아냥대는 편지였다. 솔직히 내 졸업 사진이 별로였다는 내용 뿐이었다. 하지만 그 편지를 보고서는 그 아이를 의심하지 않을 수가 없었다. 내가 웨딩 드레스 컨셉으로 졸업 사진을 촬영한 것을 알고 있는 건 우리 반과 그 아이가 있던 7반 밖에 없었고 그 학생들 중 나에게 비아냥대는 편지를 써 보낼 정도로 접점이 있었던 사람이 없었기 때문이었다. 그 아이가 아닌 다른 누군가일 수도 있을 거라는 의심 따위도 들지 않았다. 그저 머릿속에 떠오르는 얼굴이라고는 좌우대칭이 흐트러지지 않은 그 예쁜 얼굴 뿐이었다. 그 아이 또한 내게 비아냥대는 편지를 써 보낼 이유는 없었기에 더 궁금했다. 그동안 아무 접점도 없었던 나에게 도대체 왜 그런 편지를 보냈는지. 왜 나였는지. 생존 서바이벌 게임 같은 그 장난의 장난감이 왜 나여야만 했는지. 그리고 마지막 편지의 내용을 확인하고 나서야 편지를 보낸 발신자가 그 아이임이 확실해졌다.

온 두근두근? 콩닥콩닥?

왜 대답이 없어? 다 읽고 있잖아.

재미없네.

편지를 쓴 사람, 그러니까 그 아이가 무슨 말을 하고 싶었던 것일까 궁금해 다른 반 친구인 미소에게 편지 내용을 보여줬는데 미소는 그 편지의 내용을 어디선가 본 적이 있다며 핸드폰을 들었다. 그 아이의 비공개 SNS 계정이었다.

중학교 대신 전해드립니다 SNS 계정에 '온 두근두근? 콩닥콩닥?'이라는 말을 전송하려는 화면을 캡처해 자신의 비공개 계정의 올린 것이었다. 실제로 대신 전해드립니다 계정에는 그 문장이 그대로 올라왔고 나는 그 게시물을 보지 못했지만 혹여 상처를 받을까 미소가 관리자에게 게시물을 내려달라 부탁했다고 했다. 그 이후로 장난은 점점 더 노골적으로 변했다. 익명으로 편지를 써 보낸다거나 SNS에 게시물을 올리는 것 따위가 아니라 익명이라는 가면을 벗고 내 앞에 당당히 서서는 불쾌한 말들을 쏘아대는 것이었다.

열여섯 살 때 그 장난은 내게 딱 그 정도의 의미였다. 서러워서 우는 정도, 고작 이 정도 일로 죽고 싶다 생각하면 나 스스로에게 실망할 수도 있는 정도. 생각했던 것보다 그 아이는 많이 유치하구나 생각하고 넘겨버릴 수 있는 정도. 시간이 지나면 잊혀지겠다 생각했던 것과는 달리 열여섯 살 때보다는 열일곱 살이 더 괴로웠고 열일곱 살 때보다는 열여덟 살인 지금이 훨씬 괴롭다. 괜찮아질 거라 생각하고 넘긴 게 오산이었던 건지, 내가 생각보다 나약했던 건지는 잘 모르겠다.

열일곱 살 때에는 그 아이의 단짝 친구와 같은 고등학교로 진학을 하게 됐는데 그 친구도 내게 뭔가 불만이 있었던 건지 그 아이와 똑같이 날 괴롭혔다. 머리띠나 머리핀 같은 것들로 꾸미고 학교를 가면 나는 생전 처음 보는 친구의 옆에서 머리핀이 화려해 멀리서도 알아보겠다며 킥킥 웃어대곤 했다.

그 때부터는 사람에 대한 회의감이 들기 시작했다. 생전 처음 보는 사람까지도 날 비웃었으니까. 고작 머리핀이 눈에 띈다는 이유로. 사람이란 존재는 원래 그런 존재인 건가 하는 중이병스러운 생각도 자주 들었고 친해지려 다가오는 친구들을 늘 경계하게 됐다.

웃으면서 친해지고 싶다고 말하는 저 사람 사실 속으로는 나를 비난 어린 눈빛으로 쳐다보고 있을지도 모른다고. 맛있는 거 나눠 먹자고 손에 쥐여주는 저 사람 사실 살 좀 빼라고 암묵적 메시지를 보내는 걸지도 모른다고. 처음 보는 사람들과 눈이 마주칠 때마다 지금 내 걸음걸이가 우스운가, 저 사람도 그 아이의 친구인 건가, 오늘 내 화장이 너무 진한가 따위의 생각들만 가득찼다. 차라리 안 좋은 생각이어도 괜찮으니 저 사람의 생각을 읽고 싶다는 생각도 자주 했다. 의심할 겨를 없이, 숨은 의도가 뭔지 내가 게임을 하지 않아도 되는 그런 삶을 살고 싶었다.

일상생활이 어려운 정도까지는 아니었다. 집에만 숨어있고 싶은 정도까지도 아니었다. 친했던 친구들과는 여전히 잘 어울렸고 밖에 나가 놀기도 즐겼지만 사람을 마주한다는 일이 이전보다는 더 까다롭게 느껴질 뿐이었다. 우연히 그 아이를 마주치거나 열여섯과 관련된 것들을 볼 때면 조금 많이 괴로워질 뿐이었다.

잊히기만 하면 괜찮은 일이었는데 괴로움을 잊으려 곁에게 다가가 하소연을 하며 다시 기억할 때에도, 그 반대로 생각하지 않으려 노력할 때에도 그 장난을 잊게 하는 데에는 전혀 도움이 되지 못 했다. 시간이 잊게 해주리라 믿었지만 시간은 약이 되지 못 했다. 오히려 그 반대였지. 시간은 독이었다.

결

뭐랄까, 갇혀있다?

아니지, 묶여있다.

얽매여 있다 인가.

멈췄다.

사라졌다.

죽었다.

...

죽었다.

매달 9일, 온과 정한 편지를 써서 보내는 날이다. 열다섯 살이 되던 해 내가 이사를 가게 돼 아쉬워하던 온이 제안한 규칙이었다. 메시지로 가끔 잘 지내냐 물으며 뜸해지고 서운해하고 어색해지는 것보다 매달 한 통씩이라도 편지를 주고받으면 더 애틋해지고 사이가 멀어지지 않을 거라면서. 열여섯 살이 될 때까지의 일 년간의 편지는 두렵지 않았다. 초등학생 때부터 단짝이었던 세라와 크게 다투고 몇 달째 연락하지 않으며 지낸다는 이야기. 남자친구가 있으면서 다른 남자애와 놀러 다니는 예지를 따끔하게 혼내줬다는 이야기. 유치하고 사랑스러운, 그야말로 친구라는 게 인생의 전부처럼 보이는 문장 투성이었다.

그러나 열일곱 살이 되던 해부터는 온의 편지를 읽는 것이, 한 달 뒤 그 편지에 대한 답신을 적어 보내야 하는 것이 점점 두려워지기 시작했다. 이 길고 깊은 편지는 언제쯤 끊어질까 겁이 났다. 잘 지내는 듯 보이는 편지들 속에서 보이는 그 아이에 대한 이야기는 온이 다음 달에 편지를 보낼 수 있을지 감히 그 여부를 가늠하게 될 정도로 절망스러웠다. 무던 말투로 무디게 묻고 있었다. 온이 편지 속에서 수십 번을 묻고 있었던 어쩌면 질문 따위가 아니라 열여섯의 온이었을까.

때론 그 아이에 대한 이야기만을 빼곡히 채워 편지를 보내오기도 했다. 온은 그런 세상을 살고 있었나 보다 생각하게 되는 문장들, 온의 사 월은 많이 어려웠구나 동정하게 되는 문장들 투성이었다. 그러나 어느 순간부터는 온에게 감히 동정하는 마음도 쉽게 들지 못 했다. 동정하는 마음을 갖고 온을 바라보는 것 자체에도 죄책감이 들기 시작했을 뿐더러 강한 척하려 노력하는 온에게 내 눈동자를 보이며 다시 무력감을 알게 하기가 싫었다.

온은 열여섯 살이 되던 해 SNS에 관심을 가지기 시작했다. 사진을 찍으면 보정을 하고 해시태그를 달아 SNS에 올렸고 꽤나 어른처럼 보이는 옷이나 화장 같은 것들을 취향 삼기도 했다. 어딘가에 놀러 가면 성인 요금으로 결제되어 학생증을 보여줘야 했을 정도로 외모에 대한 관심과 노력이 컸다. 그러나 그 일이 일어난 뒤부터는 외모에 강박감을 가지기 시작했다. 화장을 해도 그 아이처럼 좌우 대칭이 완벽하게 들어맞도록 해야 했고, 옷도 너무 우스꽝스럽지는 않지만 또 성인처럼 멋져 보이게 입어야 했다. 화장과 옷 중 하나라도 마음에 들지 않는 것이 있다면 친구와의 약속을 파토낼 정도였다. 보정한 티가 많이 나느냐고 친구들에게 다섯 번씩 물어볼 정도, 약속에 나가려면 최소 세 시간은 준비해야 하는 정도였다.

온은 그렇게 자신을 잃어 놓고 아직도 그 폭력을 장난이라고 별명 붙이며 그 아이의 시점에서 말하고 있었다. 온은 언제쯤이면 그 아이를 고려하지 않은 시점에서, 자기 자신을 자책하지 않는 시점에서 폭력을 폭력이라 말할 수 있을까. 언젠가 온에게 보정하는 걸로 비웃음 당하는 게 싫으면 보정을 하지 않으면 된다 말했던 적이 있었다. 또 그 때의 상처를 발판 삼고 일어나 성장해야 한다고 한 적도 있었다. 그 이후로 온은 더 이상 보정을 하지도, 옷을 어른처럼 꾸며 입지도, 화장을 진하게 하고 다니지도 않았다. 항상 같은 추리닝만 입고 선크림만 바른 얼굴로 로데오 거리에 나가곤 했다. 그 모든 행위의 원인들은 그 아이를 가리키고 있었음에도 자기 자신에게서 원인을 찾고 포기하게 된 건 내 영향도 어느 정도 있지 않았을까. 어쩌면 내 말도 온에게는 폭력이었을까.

올해 여름에는 온에게 영상 통화가 왔었다. 서로가 서로에게 소홀해지지 않기 위해 편지만을 쓰자고, 전화는 비상망이라고 했던 온이 자신이 만든 규칙을 깨고 영상 통화를 걸었었다. 오랜만에 보는 온의 얼굴은 온이 편지에 썼던 것처럼 십 키로 가량이 쪄 보였다. 그 얼굴을 보는 게 불쾌하기도 했다. 살이 쪄서 보기 불쾌한 느낌이 아니었다. 내 말의 무게감이랄까, 죄책감이 들어 불쾌했다. 알 수 없는 찝찝하고 눅눅한 그 감정을 온 몸으로 느끼고 있을 때 온이 아무 말도 하지 않고 가만히 있다가 그 아이에 대한 이야기를 꺼냈다.

똑같은 말이었다. 수십 번은 들었던 말. 일이 년간 지겹게 들었던 열여섯의 기억들. 나는 또 몇 번은 우려먹었던 위로의 말을 다시 해줬고, 온은 처음 듣는다는 듯한 반응으로 들어줘서 고맙다며 서둘러 영상 통화를 끊었다. 영상 통화가 끊긴 뒤에도 한참을 가만히 앉아서 멍을 때렸다. 그 날은 자기 전까지도 불쾌한 기분을 떨쳐낼 수가 없었고 영상 통화를 하던 장면을 머릿속에서 반복 재생했다.

그 눈동자에는 많은 구원을 바라던 밤들이 숨어 있었다.
그 눈동자와 눈을 맞추고 있자면 울 수도 없었던 밤들을
얼마나 많이 삼키고 있을까 있었을까 있어야만 했을까 궁금했다.
일인칭 시점이다.
무엇도 공존할 수 없는 시점이다.
누구도 온전히 그 시점을 이해할 수 없다.

어쩌면 온에게 자신을 헐값에 매기는 일이란 언젠가는 면죄부처럼 구원받을 수 있는 일종의 종교 같은 것이었을지도 모르겠다. 계속해서 열여섯의 온을 물어뜯고 주저앉히면서 죄를 묻는 열일곱의 온은 그래 보였다. 열여섯의 온을 자책해야만 점점 그 일이 기억나지 않을 것처럼, 열여섯의 온을 자책해야만 점점 괴로워지지 않을

것처럼 편지 속에서의 온은 자주 본인에게 의문을 품곤 했다. 그 아이에게 질문의 답을 찾지 못해 당장 답을 찾을 수 있는 곳으로 자기 자신을 찾았던 거였을 테지만.

온을 달래던 손길이 온에게 닿지 못한 순간들도 많았다. 위로가 위로가 되지 못하고 되려 상처를 줘버렸던 순간도 있었다. 나아질 기미 없이 점점 심해지는 모습을 보고 있노라면 괜히 내가 온을 괴롭힌 당사자가 된 것처럼 죄책감이 들기도 했다. 서로가 서로에게 도움이 되어주지 못하는 것만 같았다.

열다섯 살 때 전학을 간 학교에서 고양이 동아리에 들어간 적이 있었다. 다른 부원들처럼 수의사가 꿈이라 생기부를 채우기 위해서라거나 평소에도 고양이를 엄청 좋아했기 때문에 단순히 고양이가 보고 싶어서 같은 이유는 없었다. 고양이 동아리에서는 어떤 걸 하는지 궁금했던 단순한 호기심 때문이었다. 그 짤막한 호기심으로 들어간 동아리에서 처음 알았던 사실이 있다.

고양이는 자신의 영역을 침범당할 위기를 느끼면 크게 울어 위협을 준다는 것이었다. 다른 누군가가 영역을 침범할 것 같으면 크게 울어 다가오지 못하도록 하고 그럼에도 다가오면 할퀴거나 깨물기라도 하며 지키려 애쓴다는 것이었다. 그저 장난치는 건 줄만 알았던 고양이의 그 행동들이 사실은 자기를 지키려고 자기가 할 수 있는 모든 것들을 노력한 것이었다. 고양이라는 어떤 작은 생물조차

21

도 자기 자리를 지키고 자기 자신을 지키려고 우는데 어째서 온은 그러지 못 했는지. 그리고 나는 왜 그 사실을 알려주지 못 했는지.

나는 열여섯에도, 열일곱에도, 그리고 지금에도 온에게 우는 방법을 말해주지 못했다. 그 무서운 눈들을 끝까지 지지 말고 쳐다보라고 말해주지도 못했다. 자신의 영역을 지킬 방법 따위는 말해준 적이 없었다. 온의 담임 선생님께서 너한테 한 말은 아니지만 오해했으면 미안하다고 전해달랬다는 그 따위의 말을 했다고 했을 때, 그래서 온이 참고 넘어가려고 한다고 했을 때 어떻게든 싸우라고 말할 걸 그랬다. 어차피 졸업할 거니까라며 포기하는 대신 어차피 졸업할 거니까 더 해보라고 부추길 걸 그랬다.

온이 나에게 하소연을 할수록 내 죄책감이 심해지는 이유는 어쩌면 이래서가 아닐까. 참는 게 잘하는 거라고, 진흙탕 싸움 되면 너만 더 힘들 거라고, 맞았다고 똑같이 때리면 너도 똑같은 사람이 되는 거라는 그 따위의 말만 하지 않았더라면. 그럼 지금의 온과 나는 사뭇 다른 모습과 감정으로 열여섯을 얘기할 수 있지 않았을까. 어쩌면 우리가 우리라서 괴로운 게 아닐까 싶었다. 온이 보내는 편지의 수신자가 나이기 때문에 마침표가 없는 게 아닐까 싶었다.

온에게 내가 큰 도움이 되지 못해준다는 건 진작에 알고 있었다. 그치만 이제 와서 그 때 했던 말은 모두 실수이니 그 아이에게 복수를 하라고 하는 건 너무 양심 없는 짓이었다. 어쩌면 내 영향도 있었을 그 모든 선택들에 대해서 온전히 책임지고 그 감정들을 감당할 자신이 없었다. 그래서 들어주는 것 말고는 할 수가 없었다.

비겁한 사람의 변명일지도 모르겠지만 일 년이나 지난 일에, 증거를 제시하기도 힘든 일에 대뜸 경찰서에 가서 신고나 해보라 하는 것도, 다른 피해자들처럼 인터넷에 그 아이에 대한 피해 사실을 고발하라고 하는 것도 사실은 온을 위해서 제시하는 해결책이 아니라 내 죄책감을 조금이라도 덜기 위해 제시하는 약물에 불과했다.

솔직히 말해서 온을 소중한 사람으로 생각하긴 하지만 그렇다고 온을 괴롭힌 그 아이가 혐오스럽다는 생각까지는 해본 적이 없었다. 때로는 온의 얘기를 읽는 내내 온을 그렇게 만든 당사자보다 똑같은 얘기만 반복하는 온이 더 지겹고 싫증이 나기도 했다. 나는 상관도 없는 사람인데 괜히 죄책감을 갖는 것 같아 짜증이 났다. 아마 그 죄책감도 어느 정도 책임이 있는 죄책감이었을 테지만 때로는 온이 일부로 내 죄책감을 극대화하려 일부로 이러나 하는 의심까지도 들었다.

이젠 그만할 때가 되지 않았나. 내가 한 말의 무게를 책임질 때가 되지 않았나. 벌써 일 년이나 지나버린 일이지만 늦게라도 온을 위해, 나를 위해 배워야 했다. 영역에 침입하려는 누군가가 있으면 크게 울어야 한다고. 그래도 떠나지 않으면 싸워야 한다고. 발톱으로 스크래치라도 내야 한다는 것을 배워야 했다.

죽기로 결심했다.

온의 기나긴 일인칭 시점을 끝내는 방법이었다.

2022년 12월 9일, 온에게.

마음을 다잡을 시간이 필요했어. 생각을 멈출 시간도 필요했어. 되돌아볼 시간이 필요했고 무언가를 연습할 시간이 필요했어. 그동안 생각을 좀 많이 해봤는데 말이야. 아무래도 죄책감 비슷한 것들이 자꾸 날 찾아오고 그만큼 네게 미안하기도 해서 모두 그만둘 생각이야. 내가 너에게, 그리고 나에게 어떤 것들을 노력해야 우리가 우리면서 괜찮아질 수 있을까 생각해 봤는데 많이 어렵더라. 너는 내가 죄책감을 느끼고 있었다고 말하면 되려 내게 미안해하고 말하기를 꺼려하게 될 거잖아. 그게 유일한 네 피난처였을 텐데 내가 감히 또 그걸 내 손으로 어떻게 망가뜨려.

그래서 모두 그만두기로 결정했어. 없어져야 해. 너의 열여섯도, 너의 열여섯 속에서 내 죄책감도 모두 씻겨 사라져야 해. 네가 열여섯에서 벗어나려 얼마나 많이 노력하고 울었는지를 알아. 그래서 감히 내가 먼저 죽어보려 해. 죽어보고 나서의 세계가 살만하고 숨이 좀 쉬어진다면 네게 알려주러 올 테니 너는 그 때 죽도록 해. 나한테 조금만 더 시간을 줄래. 누구 없이 나로만 가득찰 수 있도록 기다려줄래. 금방 돌아갈 수 있도록 노력할게.

온아, 내 소원은 네가 늘 행복한 거야. 잠깐 꿈처럼 스쳐 지나가는 그런 행복 말고, 추억처럼 다시 꺼내봐야 느낄 수 있는 그런 행복 말고. 정말 항상 행복해서 행복하다 느끼지 못할 정도로 행복한 거야. 너는 행복이 어렵다 했지. 고작 조그마한 거 하나 얻겠다고 거꾸로 걸어보다 넘어지기도 하고 다시 못 일어날 정도로 다치기도 하는 순간이 있다고. 그래, 그런 순간들 말이야. 그런 순간들 없이 온전히 너만의 행복을 너만이 누리는 게 내 소원이고 행복이야.

다른 사람들이 이기적이라고 욕한다면 욕하라고 해. 넌 너만 생각하면 돼. 일 년 동안 수십 번씩 넋에 칼이 드나들고 칼을 든 사람이 그 아이였는지 너였는지 구분도 못하던 날들이 많았잖아. 다른 사람 다 불행해진다 해도, 네가 다른 사람 행복 다 가지고 가서 지겨울 정도로 행복해진다 해도 너는 다른 사람 신경 쓸 필요 없다는 말이야. 더 이상 널 자책하지 마. 열여섯 속에서 네 잘못이 뭐였을지 계속 들춰보려 하지도 말고 지나간 네 선택을 후회하려고 하지도 마. 열여덟의 너조차도 열여섯의 너를 자책할 자격 없어.

일 인분의 몫만큼만 아파해.

결

   몇 개월 만에 처음 써본 진심이 담긴 마지막 편지였다. 온은 죽지 않을 수 있을까. 옛날의 고양이는 좋은 존재로 여겨지지 못했다고 했다. 특유의 날이 선 목소리와 날카로운 눈빛 때문에 무서운 분위기를 조성해 불길한 존재로 여겨졌다고 했다. 하지만 지금의 고양이는 전혀 그런 취급을 받지 않는다. 혼자 있는 새끼 고양이를 만지면 어미 고양이가 사람 냄새를 맡아 데려가지 않으니 절대 만지지 말라는 건 상식으로 여겨질 정도로 사람들은 고양이를 사랑스러운 존재로 여기고 소중히 대한다.

   고양이의 날이 선 목소리는 애교로 여겨지고 날카로운 눈빛은 고양이의 매력으로 여겨진다. 고양이를 좋아하는 사람들이 많아 SNS에서 인기를 얻으려 고양이를 입양하는 사람도 간혹 있다고 할 정도로 지금의 고양이는 옛날의 고양이와 다른 대우를 받는다. 내가 온에게 그 사실을 진작에 알려줬다면 얼마나 좋았을까. 자신을 지키기 위해 하는 그 모든 행위들은 당연한 거고 존중받아 마땅하다고. 혹여 널 이상하게 보는 사람이 존재하더라도 끝까지 지지 말라고. 그렇게 말해줬어야 했는데. 이미 너무 늦은 편지였다.

온

모든 것에 애를 썼다. 조금이라도 마음이 불안해지면 견딜 수가 없었다. 걸을 때도 숨이 차지 않도록 최대한 느리게, 거동이 불편하신 저 할머니보다도 천천히 가야 했다. 대답을 하는데도 삼 초가 걸렸다. 너는 왜 이렇게 대답하는데 오랜 시간이 걸리냐는 친구들의 장난스러운 농담과는 달리 실수하지 않기 위해 삼 초 동안 최선의 대답을 고민해 안절부절못했던 마음이 있었다. 결은 이런 나의 이야기를 읽고 열여섯의 트라우마로 인해 과하게 안정을 찾으려는 것 같다고 했다. 내가 실수를 저질러 그 장난에 엮였고 그건 그럴 만한 일이 맞았다고 착각하니까 그 아이가 아닌 다른 사람을 마주할 때에도 모든 행동을 조심하게 되는 거라고.

절대. 그럴 리가. 고작 그런 유치한 장난에 트라우마가 생겼을 리가. 그런 유치한 장난이나 즐겨 하는 하찮은 애한테 상처를 받았을 리가.

그렇게 부정해도 사실은 내가 더 잘 알고 있었다. 나는 그 아이 때문에 자주 죽고 싶어 했으며 걸음걸이가 느려진 것도, 말투가 느려진 것도, 이전에 비해 많이 조용해진 것도, 사람 만나는 것을 피하는 것도, 화장을 할 때 오십 번을 다시 지우고 수정할 정도로 과하게 외모에 집착하는 것도 그 아이의 영향이 크다는 것을. 중학생 때 싸우고 고등학생이나 되어 화해하게 된 세라나 초등학교를 다니던 때부터 단짝 친구였던 예지도 눈치채고 있었다. 이전에 명랑하면서 당당하고 이끌어가기 좋아하던 모습과는 달리 많이 조용해졌고 소심해졌으며 눈치를 보는 것 같다고 전해줬다. 그런 이야기를 질리도록 듣는데, 스스로도 몸소 느끼고 있는데 모를 리가 없었다. 숨기려 애써도 숨겨지지가 않는 거였다.

그냥 혼자 꾸역꾸역 세뇌할 뿐인 거야. 황홀경 속에서 혼자 울부짖는 거지. 나는 그렇게 나약한 사람이 아니라고. 난 그렇게 역겨운 사람이 아니라고. 울부짖으면서도 한 번 더 무너져버리고 마는 거야. 내가 그런 사람이 아닐 거라고 이렇게까지 부정하는 건 실은 내가 진짜 그런 사람이라 그런 거일 수도 있다면서. 결국 어떡하든 무너지는 건 나 하나 뿐인 거지. 옆에 방석들을 잔뜩 깔아 놓고는 난 혼자인 게 편하다면서 그렇게 또 통증을 앓는 거지. 한 번 무너져버린 마음들은 폐부가 찢어지도록 아파 나조차도 돌보기가 힘들어서 바닥에 나뒹굴게 내버려둬. 외로움 앞에 마주하게 되면 정말 걷잡을 수 없게 될까 봐.

이전에 결이 그런 말을 한 적이 있다. 맞았다고 똑같이 때리면 똑같은 사람이 되는 거라고. 최고의 복수는 나의 성공이라고. 이전부터 항상 물음표가 따라가는 문장이었다. 날 괴롭힌 사람을 똑같이 괴롭히겠다는데 왜 그게 똑같은 사람이 된다는 건지, 감정적으로도 신체적으로도 힘든 사람은 먼저 맞은 사람이 아닌지. 도대체 내 성공이 어떻게 날 때린 사람을 괴롭게 하는 방법이며 성공하지 못하면 복수할 자격도 없다는 건지. 그 문장은 마치 나의 증오심이 잘못됐다고, 내가 증오심을 품는 순간부터 나는 그 아이와 다를 바 없는 혐오스러운 사람이 된 것이라 말하는 것 같았다. 털털하게 털 어내지 못하는 내가 한심스럽다고 말하는 것 같았다.

무딘 문장 하나조차도 나에게는 너무 큰 상처였다.

뉴스나 인터넷 방송을 보는 것에도 힘이 들기 시작했다. 유명 연 예인이 학교 폭력을 저질렀다는 방송보다 한 일반인 피해자가 일반 인 가해자에 대한 학교 폭력을 대중적으로 까발리는 방송에 더 화 가 났다. 그 방송을 보며 화를 내고 욕을 하는 부모님에 더 화가 났다. 잊고 있던 열여섯의 기억이 예고도 없이 갑자기 생각나게 돼 서 피하기 시작했는데 피하면 피할수록 더 많이, 더 자주 눈에 띄 었다. 애써 외면하려 노력했는데도 이전보다 더 자주 기억들과 관 련된 것들이 문을 두드렸고 그건 내가 더 자괴감에 빠지도록 돕는 장치로 작용됐다.

나는 고작 말장난 정도인데. 앞머리를 자르고 학교에 간 날이면 앞머리에 가위질하는 시늉을 내며 앞머리 자른 거냐며 친구들끼리 비웃는 정도. 화장을 진하게 하고 간 날이면 유명 웹툰의 여주인공 이냐면서 비웃는 정도. 급식을 먹는데 앞자리 친구 옆에 서서 사진 과 실물이 너무 다르다며 비웃는 정도. 익명 편지로 졸업 사진 별 로였다면서 비웃는 정도. 학교 대신 전해드립니다 계정에 '온 두근 두근? 콩닥콩닥?'과 같은 의미를 모르겠는 말을 올리며 비웃는 정도. 그 말을 보내는 캡처본을 백오십여 명이 있는 비공개 계정에 올리며 비웃는 정도. 화장실에서 손을 씻으면 옆에서 보정 왜 하는 건지 모르겠다며 비웃는 정도. 꽤나 열심히 꾸미고 로데오 거리에 간 날이면 맞은편에서 몰래 사진을 찍으며 비웃는 정도. 그 사진을 다시 비공개 계정에 올리며 비웃는 정도. 고작 그 정도였는데.

몸에 상처가 난 것도 아니고 증거가 있는 것도 아니고 고작 말장난 정도라서 나는 그 아이를 폭로하지 못한다는 것에 화가 났다. 아무도 관심 갖지 않을, 화제가 되지 못할 폭력이었다. 증오의 방향이 잘못될수록 스스로가 초라해져 더 참기가 힘들었다. 내가 증오해야 할 대상은 그 아이였는데 그 대상은 자주 내가 되기도, TV 프로그램이 되기도, 얼굴도 모르는 다른 피해자가 되기도 했으니까.

그래, 차라리 내가 죽는다면 내 죽음이 증거가 되는 거 아닌가? 고작 그런 일로 죽는다며 날 비웃어대도 적어도 이 동네 사람들만큼은 그 아이를 미워해주지 않을까? 적어도 그 아이는 내가 자기 때문에 이만큼이나 괴로웠다는 걸 알게 되지 않을까? 죽은 후에라도 사과를 하러 와주지 않을까? 나만큼이나 괴로운 죄책감을 가지진 않을까?

평범하게 살 수 있다면 죽음 따위 생각도 안 들지. 평범하게 살지 못하니까 문제인 거지.

미치도록 죽고 싶어 하던 밤이 지나고서는 그 아이가 나오는 꿈을 자주 꾸기도 한다. 그 아이의 멱살을 잡고 제발 미안하다는 말 한 마디만 해달라고 울며 애원하는 꿈. 그 아이와 친구가 되어 잘 지내는 꿈. 그 아이와 친구들이 학교 컴퓨터실에서 날 뒤돌아보며 비웃는 꿈. 그런 꿈을 꾸고 나면 정말 그 아이에게 문자를 보내고 싶어진다. 이런 말 해서 정말 미안한데 나한테 미안하다는 말 한 마디만 해주라고. 마치 그 말만 들으면 모든 악몽과 시점이 끝날 것만 같이.

열여섯을 잊는 최후의 수단은 결국 그 아이에게 미안하다는 말 한 마디를 듣는 것 뿐일 것 같았다. 그러면 적어도 열여섯을 떠올리게 됐을 때 조금 서러울 수는 있어도 죽고 싶다는 생각 따위는 들지 않을 것 같았다. 사실은 아직도 여전히 그 아이의 SNS 계정을 들어가 보곤 한다. 메시지를 보낼까 말까 수십 번 고민하다 결국은 핸드폰을 내려놓고 혼자 울던 시간들은 점점 그 아이보다 나를 미워하게 만들었다. 나는 사죄를 구걸해야 하는 사람이었다.

2022년 12월 9일, 결에게.

어젯밤에도 그 아이가 나오는 꿈을 꿨어. 그냥 갑자기 든 생각인데, 그 아이의 부모님은 그 아이를 엄청 사랑하겠지? 엄청 사랑해서 그 아이가 나에게 이런 짓을 저질렀다는 걸 알게 돼도 다음부턴 그러지 말라며 말하고 끝이겠지? 그냥, 갑자기 웃겨서. 핏줄이 없었더라면 절대로 용서될 수 없었던 일들이 고작 가족이라는 단어 하나로 용서되고 되돌아갈 수 있다는 게 사랑스러워서.

얼마 전에 그 아이가 SNS에 올린 게시물이 알고리즘에 떠서 보게 됐어. 그 아이 블로그를 시작했더라. 블로그에는 많은 게시물이 있는데 그 중에는 우리 중학교 때 게시물도 있어. 열네 살, 열다섯 살, 열여섯 살 각 나이마다 어떤 일이 있었고 얼마나 즐거웠는지를 열심히 써놨더라. 친구들이랑 재밌게 물총 싸움도 하고, 시험 기간이면 다 같이 모여서 밤늦게까지 공부도 하고, 졸업 사진을 찍을 때는 단체 사진을 여러 장 찍어두면서 열여섯스러운 열여섯을 남겼더라.

나 그거 보고 또 울었어. 그 아이 때문에 내 열여섯은 엉망이 됐는데 그 아이는 열여섯을 추억하고 있잖아. 솔직히 조금 서럽지 않겠어? 같은 곳을 봐도 그 아이가 보는 곳에는 온통 아름다움뿐인데 내가 보는 곳에는 온통 절망뿐이라는 게. 질투도 나고. 그래도 나 이제 적당히 울 줄 알아. 해야 할 일을 먼저 하고 슬퍼할 줄 알고 낮에 숨겨놨다가 밤에 혼자 꺼내볼 줄도 알아. 이거 되게 서러운 일인데, 그 아이는 전혀 모르겠지.

그 날 잠에 들기 전에 무겁게 감기는 눈꺼풀에 내 시야를 맡겨두고 울다가 잠에 들었어. 정신이 잘 들지가 않아서 지금 당장 전문가를 만나 상담을 받고 싶다는 생각을 하면서. 그랬더니 정말 꿈에 상담을 가게 됐어. 회색 콘크리트로 만들어진 이삼 층짜리 작은 건물이었는데 입구에 층 별로 어떤 상가가 있는지 설명 같은 게 붙어 있더라고. 일 층은 그냥 주차장이었고 이 층이 내가 눈여겨보던 상담 센터였어. 이 층까지만 보고 바로 가야겠다 생각하고 그 자리를 떠나서 삼 층에 뭐가 있었는지는 몰라.

그리고 일 층에서 이 층으로 가는 길에 혼자 장을 보고 들어가는 엄마를 만났어. 오른 손에는 엄마가 장을 봐온 것들이 장바구니에 가볍게 들어 있었고 왼 손에는 아무것도 없었어. 엄마의 손을 보고 시야를 옮겨 엄마의 얼굴을 봤는데 엄마의 눈동자도 내가 잠들기 전 그랬던 것처럼 공허한 암흑으로 물들어 있었어. 해명을 바라는 듯한 표정으로 날 쳐다보고 있길래 다 말해줬어. 내가 열여섯에 어떤 일이 있었고 여태까지 어떤 감정으로 버텼는지. 내가 왜 여기에 있고 그래서 뭘 하고 싶은 건지.

그 공허한 암흑뿐이던 눈동자에 분노가 앉기 시작했는데 그 분노는 그 아이에 대한 분노가 아니라 나에 대한 분노였어. 고작 그걸 못 참고 여기까지 와서 부모 얼굴에 먹칠을 하냐는 듯한 그런 눈.

나약하고 한심하고 쪽팔린다는 그런 눈. 현실과 정반대인 엄마의 모습이었지만 그조차도 내게는 두려움이어서 평생 이 일을 말하지 못할 것만 같았어. 그게 설령 죽기 직전이더라도 말이야.

햇빛을 보지 못하고 자라난 꽃의 설움은 누가 들어줄까. 아니, 설움을 들어주기 이전부터 어떻게 햇빛을 보지 못하고도 그렇게 어여쁘게 자라났냐며 의문을 품고 말지 않을까. 그 어여쁜 꽃 속에 얼마나 많은 것들이 기생하며 자리 잡고 있는지는 전혀 궁금하지 않겠지. 딱 그 정도인 거지. 겉만 눈에 보기 좋을 정도로 자라나 있으면 속이 얼마나 문드러져 있는지는 중요한 게 아니겠지. 아무도 의문을 품지 않는 설움은 딱 그 정도의 가치만 지닌 채로 저버리고 마는 거겠지. 한 평생을 그림자만 바라보다 피어난 꽃은 사실 이미 저버린 꽃이 피워낸 꿈일지도 몰라.

어쩌면 돌고 돌아 모두 내 탓인 것 같아. 그런 아이를 우상으로 삼았던 내 탓. 그런 아이인지 진작에 몰라봤던 내 탓. 조금이라도 미안해 할까 기대감을 가진 내 탓. 그런 아이 시선에 거슬렸던 내 탓. 꾸미고 다니기를 좋아했던 내 탓. 호기심에 SNS를 시작했던 내 탓. 끝까지 도움을 요청하지 못한 내 탓.

미치도록 죽고 싶어 하던 밤이 지나면 며칠 동안은 사는 게 너무 힘들어져. 집 주변을 걷는 것조차도 고역이 되어버려. 다시 감정이 버거워지면 그 건물로 뛰어갈 것처럼 자연스레 제일 높은 건물을 찾게 되기도 하고 높은 건물에서 창문으로 밖을 보고 있으면 자연스레 여기서 뛰어내린다면… 같은 생각만 들어. 눈을 감고 잠에 들려 하면 내가 원하지 않아도 열여섯의 단어들이 떠올라. 보정, 사진, 급식실, 편지, 비공개 계정, 머리핀, 증거…

사실 너한테 말하지 않았던 일이 하나 있어. 꿈을 꿨거든. 머리핀이 화려하다면서 비웃었던 그 아이의 친구 있잖아. 내 머리핀을 보고 화려하다면서 비웃어댈 땐 언제고 친한 척하며 가식적으로 다가오는 꿈이었는데, 그 꿈을 꾸고 나선 내가 많이 한심하더라. 꿈 속에선 그 친구가 어떤 가식을 부리던 이전에 괴롭힐 땐 언제고 왜 이러냐며 소리를 지르고 울고 불고 다 했는데 현실에서 난 그래본 적이 없으니까.

꿈이라면 얼마나 좋았을까. 머리채를 잡고 남한테 상처 주면서 살지 말라고 욕을 퍼부어줬을 텐데. 그 아이도, 그 아이의 친구도 너희에겐 어떤 사람인지 몰라도 적어도 나에게는 이만큼이나 모진 사람이라고 고발문을 붙였을 텐데. 다 들으라고 내 앞에서 날 비웃을 때 내 얘기하는 거냐면서 눈을 똑바로 보고 따졌을 텐데. 드라마나 영화에서나 나오는 것처럼 녹음이라도 했을 텐데. 선생님께서 내가 오해한 거라고 하셨을 때 당신은 선생님이라고 불릴 자격도 없다며 화라도 냈을 텐데.

아니, 차라리 그 모든 생각이 발생되기 이전의 것들이 꿈이었다면 더 좋았을 텐데. 그럼 난 어떤 열여섯을 보냈을까. 그 아이의 열여섯처럼 내 열여섯도 온통 공부와 친구뿐일 수 있었을까. 지금의 내가 후회라는 감정 때문이 아니라 그리움이라는 감정 때문에 열여섯으로 돌아가고 싶다 할 수 있었을까. 생각 좀 그만하고 싶어. 생각으로부터 도망가고 싶어. 내가 날 온전히 달래줄 수 있는 사람이면 좋겠어.

있잖아 결아, 나 열여섯 살 한 번만 더 하면 안 될까? 한 번만 다시 돌아갈 수는 없을까? 아직 난 중학교를 졸업하지 않았다고, 적어도 일 년은 더 다녀야 졸업할 수 있다고 말해주면 안 될까? 돌아가고 싶어. 돌아가야 할 것 같아 나는. 아직 마무리 짓지 못한 일이 나한테 너무 커져버렸는데. 어떡하지.

고양이와 나비

온

2023년 5월 9일, 결에게.

하마터면 너에게 편지를 쓰지 못할 뻔했어. 나 이번엔 정말 죽을 뻔했거든. 사 월에 우연히 그 아이를 로데오 거리에 있는 오락실 앞에서 마주쳤는데 나도 모르게 또 도촬해서 어딘가에 퍼뜨렸나 봐. 미소가 내 사진을 친구들을 통해 봤다고 연락해 줬어. 혹시 오락실 앞에서 찍힌 거냐고 물어봤는데 맞다더라. 사실 조금 신나기도 했어. 사진이 어디서부터 퍼진 건지 쫓고 쫓다 보면 그 아이가 최종적으로 나올 테니까 이번에야말로 그 아이를 신고하고 그 아이와 관련된 모든 것들을 끝내야겠다고 생각했거든. 이번에야말로 사과를 받고 더 이상 그 아이에게 휘둘리지 말아야겠다 마음을 단단히 먹고 미소에게 사진을 누가 보여준 건지, 그 사람에게 나한테 사진을 전해달라 부탁해줄 수 있는지 물어봤는데 알려주지 않더라.

미소는 내가 열여섯 살 때 어떤 일이 있었는지 다 알고 있는 너만큼이나 친한 친구잖아. 그래서 많이 당황했지. 내가 얼마나 힘들어했고, 여전히 얼마나 힘들어하고 있는지를 두 눈으로 똑똑히 본 사람이니까 당연히 알려줄 거라고 생각했어. 날 도와주고 싶어할 거라 생각했어. 내가 점심을 먹지 않고 화장실에서 몰래 울 때마다 같이 점심을 거르고 그 작은 세상에서 나올 수 있게 기다려준 친구였으니까. 내가 의지했던 만큼 내게 의지하고 늦은 새벽에 울며 고민을 털어놔 줬던 친구였으니까. 그래서 당연하다고 생각했나 봐.

미소의 고등학교 친구가 보여준 사진인데, 나한테 말한 걸 알게 되면 분명히 그 친구와 싸울 거라면서 그 친구와 멀어지고 싶지 않다고, 더군다나 그런 계획이 있다면 그 아이에게 해코지 당할까 봐 무서우니 알려주고 싶지 않다고 하더라. 내가 뭘 할 수 있겠어. 그냥 이해하는 수밖에 없었어. 미소도 미소 나름의 사정이 있을 테니까. 사 년을 알고 지낸 다른 학교에 다니는 나보다는, 2개월을 알고 지낸 같은 학교에 다니는 친구가 더 중요한 존재일 수도 있으니까. 해코지를 당하면 나처럼 망가질까 무서워서 피하는 걸 수도 있으니까. 싫다는 사람 붙잡으면 안 되는 거니까. 미소는 워낙에 인간관계를 중요시하는 성격이었잖아. 그러니까, 그럴 수 있었을 거라고. 그 다음 날에는 미소에게 차단을 당했고 나름대로 미소를 미워하지 않으려고 애썼어.

그런데 너무 분하더라. 내가 또 아무것도 못하고 울고만 있는 게. 고작 그런 아이 때문에 난 미소와의 관계를 망쳤고, 고작 그런 아이 때문에 재밌었던 하루 자체가 엉망진창이 됐고, 고작 그런 아이 때문에 난 다시 열여섯으로 돌아갔잖아. 그렇게 애써 기억에서 꺼내지 않으려 했던 게 결국 다시 나온 거잖아. 내가 몇 년 동안 걔를 잊고 그 일을 잊으려 하면 뭐하지, 걔가 없더라도 그 기억은 시도 때도 없이 나타날 텐데. 내가 할 수 있다는 게 아무것도 없다는 생각이 짙게 들면서 무기력감에 휩싸였어. 결국 또 몇 달, 몇 년 동안 나는 너무 힘들어할 것 같은데 그게 너무 싫어서 죽고 싶었어. 난 늘 왜 그 아이 때문에 친구고 일상이고 다 망가지는지 너무 억울해서. 왜 또 이 상황이 반복되는지 도저히 이해가 가지를 않아서. 그 일이 있고서 이 년은 훌쩍 지났는데 난 더 괴로워졌어. 내가 말했잖아. 그 아이는 아직도 항상 내 모든 걸 망쳐.

이번에 확실히 알게 된 건데, 정말 죽을 지경까지 가면 슬프다는 생각이 안 들더라. 그냥 되게 공허해. 나는 내 얼굴을 보지 못했지만 분명 눈동자가 텅텅 비어있었을 거야. 죽은 생선의 눈처럼 어떤 영혼도 생각도 보이지 않은 채로 암흑으로만 물들어있었을 거야. 그 정도로 정말 슬프다 화난다 할 감정 없이 죽어야겠다는 생각만

들어. 그래서 더 무섭더라. 한 번 더 이런 일이 생기거나 이런 감정이 든다면 그 때는 정말 못 견딜 것 같아서. 잠깐 동안 무언가에 홀린 것 마냥 내 생각대로 생각되지가 않아서 두려웠어.

난 어떻게 해야 그 아이를, 그 장난을 잊을 수 있을까. 얼마나 더 많은 시간이 지나야 괜찮아질 수 있을까. 내가 할 수 있는 게 뭐가 있을까. SNS에서 본 적 있는데 트라우마는 잊는 게 아니라 무뎌져야 하는 거래. 더 좋은 일들로 덮어서 생각이 안 나게 해야 한다는 거야. 이 년 동안의 난 점점 더 괴로워졌는데 무뎌질 정도가 되려면 도대체 얼마나 더 시간이 지나야 한다는 건지 모르겠어. 마냥 앉아서 시간이 해결해주길 기다리는 게 불편하기만 해. 졸업했다고 끝이 아니었고, 괜찮아지지도 않았고, 시간이 정말 해결해 줄 수 있는 건지도 잘 모르겠고, 그 아이는 여전히 날 괴롭히잖아.

정말이지 격하게 이쁜 인생을 살고 싶어. 이미 나사가 박힌 마음은 나사를 빼고 상처에 약을 바르고 흉이 지지 않게 관리하는 것만으로도 너무 많은 시간이 걸려버려. 아직 시작조차 못해봤는데도 리셋부터 너무 많은 것들이 소모된다는 말이야. 자책과 허영, 이기심만으로 진흙탕이 만들어진다면 내 인생은 그 진흙탕에서 지독히도 구른 걸 거야. 분명히 뒤에서 누군가 날 밀어서 진흙탕으로 내 모든 게 엉망진창이 됐는데 뒤돌아보니까 그게 나였는지 다른 사람이었는지 구분이 안 가.

세상의 모든 이야기가 해피 엔딩일 수는 없는 거지만, 난 적어도 나만큼은 해피 엔딩일 줄 알았어. 얼른 피가 멎어서 딱지가 생기고, 그 딱지를 떼보면 흉터가 남아있는 정도, 그 정도라도 좋으니 피가 얼른 멎기를 바랐는데 시간이 아무리 흘러도 나는 여전히 흉터 하나 지지 않은 채 그대로야. 피가 멎지를 않아. 아니, 멎지 않는 상처에 자꾸만 누가 상처를 더 크게 벌려. 그게 누구인지라도 알 수 있다면. 그 흉기를 빼앗을 수라도 있다면. 차라리 내게 그 흉기를 막을 수 있을 만큼 두껍고 단단한 밴드라도 있다면.

근데 너도 진짜 너무한 거 알지. 어떻게 해가 바뀐 후로 편지를 한 통을 안 보내줄 수가 있어. 무슨 일 있는 건 아니지? 사고 났다거나… 죽었다거나… 차라리 내 하소연 듣는 게 지겨워 편지를 보내주지 않는 거라면 좋겠다.

2023년 6월 9일, 결에게.

나는 아직도 날 숱하게 의심하고 있어. 상처받지 않아도 됐는데 상처받은 날들이 너무 많았어서 이젠 나조차도 믿을 수 있나 싶더라. 지우려고 애쓰는 일이 오히려 더 기억나게 하는 일인 건 알고 있는데 문득 떠오르는 기억들이 너무 괴로워서 얼른 지워야만 숨을 쉴 수 있을 것 같아 어려워. 벌써 그 아이의 장난이 있었던 후로 딱 이 년이 지났네. 다행인 게 뭔지 알아? 이젠 조금 덜 생각이 나. 아직도 인터넷 방송은 못 보겠고, 사진 찍는 것에도 두려움은 느끼지만 그 아이 생각은 덜 나.

가고 싶은 대학이 생겨서 대충 하던 공부도 다시 집중하기 시작했고 자격증 공부도 하고 있어. 근데 이 자격증 합격률이 낮다는 거 알고 시작하긴 했는데 생각보다 더 어려운 것 같아. 벌써 두 번이나 시험에 떨어졌거든. 칠 월에 있는 세 번째 시험을 준비하고 있는데 이번에도 떨어지면 정말 적성 아닌 것 같다 생각하고 포기하려고.

오랜만에 하고 싶은 게 생겼다는데 내 뜻대로 되지가 않아서 오히려 더 속상해지는 것 같기도 하고 그래. 재능이 있건 없건 열심히 노력하면 다 될 줄 알았는데 아무리 노력해도 나아지지 않고 오히려 실망스럽기만 해서 마치 날 비웃던 사람들에게 당신이 옳았다고 박수 쳐주는 느낌이야. 연습할 때마다 주저앉아 우는 게 습관이 되고 혹시나 하는 기대감에 설레발을 치고 사실은 예상했던 결과라면서 우울해하고. 포기하기 위해서 나랑 타협한다는 게 뭔가 모순적이야. 요즘은 그래. 포기도 끈기도 무엇 하나 쉽지가 않아.

너는 요즘 어떻게 지내? 네 이야기가 궁금해. 진로 문제로 부모님과 싸워서 울며 내게 편지를 썼다가 찢어버렸다고 했잖아. 요즘은 부모님이랑 사이가 괜찮아졌어? 학교 동아리에서도 문제가 많아 골치 아프다 그러더니 요즘은 다 해결됐는지도 궁금해. 네 남동생은 너랑 다르게 공부를 엄청 잘해서 주변에서 자주 비교한다고 하기도 했잖아. 여전히 네 남동생과 비교를 당해 속상해하고 있어? 이렇게 물어봐도 넌 답장을 해주지 않으니 알 수가 없네.

그리고 보니까 올해도 벌써 반 개월밖에 남지 않았어. 열여섯도, 열일곱도 시간이 엄청 느리게 갔는데 올해는 유독 빠르게 가는 것 같아. 네가 없으면 오히려 시간이 더 느리게 가야 할 텐데 안 하던 공부도 다시 시작하고 시험도 준비해서 그런가 봐. 두 달 뒤면 내 생일인 건 알지? 몇 달 동안 편지도 안 보내줄 정도로 내가 미운 건 이해할 수 있겠는데 그래도 생일에는 축하한다고 편지 한 통만 보내줘. 우리 사 년 동안 친구였는데 네 축하 없이 생일 보낸다는 건 의미가 없을 것 같아.

근데 난 네가 정말 죽은 줄 알았어. 너 SNS 한다는 거 왜 안 알려줬어? 내 SNS는 혼자 몰래 다 보고 네 SNS는 안 알려준 거야? 예지가 네 계정에 남자친구 사진 엄청 많이 올라온다고 알려줬어.

태어나서 단 한 번도 남자친구한테 꽃 선물 받아본 적 없다고, 언젠가는 꼭 받아보고 싶다고 하더니 게시물 보니까 꽃 선물도 엄청 많이 받은 것 같다고 전해주더라.

근데 난 왜 화나지도 않지. 다섯 달이 지날 동안 나한테 편지 한 통 안 써주는 너에게 화난다기보다는, 편지도 안 써주면서 남자친구 만들어 행복해하는 너에게 화난다기보다는, 네 남자친구에게 너무 고마워. 항상 내 우울한 얘기 들어주느라 힘들었을 너일 텐데 꽃 선물도 받고 엄청 기쁘겠다 싶어서. 너를 그렇게나 잘 챙겨주는 사람이라니 나한테 편지 안 써줄 만하다 싶기도 해. 혹시나 싶어서 네 SNS로 연락하려고 했더니 너 이미 날 차단했더라. 내가 많이 미웠나보다. 나 때문에 많이 힘들었나보다. 이럴 줄 알았으면 네 연락처 지우지 말 걸. 그래도 우리 중학생 때부터 쭉 친구였는데 힘들어서 더 편지 못 쓰겠다 말이라도 하고 떠나주지 그랬어. 그러면 적어도 우리 관계에 미련은 없었을 것 같은데.

얼마 전 꿈에 네가 나왔어. 버스 정류장 앞 횡단보도에 서있는데 맞은편에서 네가 걸어왔어. 너랑 이미 눈은 마주쳐서 모른 척도 못하겠고 가만히 쳐다보고 있었는데 네가 활짝 웃으면서 내 앞으로 걸어오더라. 왜 나를 저렇게 반기는 거지, 내 뒤에 다른 사람을 보고 있는 건가 순간 의심하다가 그런 거 다 필요 없고 너무 그리웠어서 나도 모르게 울면서 안겨버렸어. 정말 내 뒤에 다른 누군가를 보고 웃은 건데 내가 착각한 건지, 내 처량한 꼴을 보고 비웃었던 건지는 몰라도 웃으면서 내 앞으로 걸어오는 네가 너무 반갑고 믿기지가 않아서 나도 모르게 울면서 안겨버렸어.

안기자마자 깨버렸는데, 슬프고 화나고 그런 감정이 드는 것보다는 자존심이 너무 상하더라. 넌 매정하게 나를 버렸는데 난 너를 버리지 못해서. 넌 나를 어떻게 생각하고 대했을지 모르겠지만 결이 넌 내가 감히 버리고 갖는다 할 사람이 되지 못해서. 그냥 자연스레 잊혀지거나 네가 다시 다가와 인연이 이어지길 바랐거든. 넌 날 이렇게나 매정하게 버리고 떠났는데도 나는 여전히 네가 너무 그리워서. 자존심이 너무 상해서 어떤 말도 감정도 사치였어. 너도 나처럼 날 그리워하고 있다면 좋겠어. 너에게도 내가 큰 사람이었으면 좋겠어. 혹시라도 네가 나에게 못다 한 인사를 전하기 위해 꿈에 나온 거라면, 그래서 내가 너에게 찾아갔어야 했는데 결국 알아채지 못한 거라면 좋겠어. 차라리 그랬으면 좋겠어. 네 밤을 온통 채울 사람이 여전히 나였으면 좋겠어. 미안해.

잘 지내고 있니.
난 여전히 네 행복을 바라.

2023년 7월 9일, 결에게.

내 목덜미를 물어가 우리라는 서사를 만들어주고 내 목덜미를 물어와 영영 유기해버리는 것. 유기하려 목덜미를 물어버리려 할 때마다 입을 맞춰주는 거라며 주변의 모든 것들을 무시해버린 한낱 염원 때문에 생겨버린 초라함까지. 흔적도 알아볼 수 없게 서사를 태워주던가 목덜미에 생긴 상처에 그림을 그려주던가 애초에 물어가지를 말던가. 생각하기를 포기하던가 유기 당하지 않으려 아등바등 대지를 말던가 애초에 물려주지를 말던가. 물어버리려다 놓쳐생긴 목덜미의 상처를 계속해서 보고 있자면 너무 서러워서 꼭 울고 싶어져. 이럴 줄 알았으면 내가 먼저 그 사람의 목덜미를 물어야 했는데. 이럴 줄 알았으면 내가 먼저 그 사람의 목덜미에 상처를 내야 했는데.

일 년 동안의 기나긴 짝사랑도 포기하기로 했고 세 번째 시험도 떨어졌어. 다들 못해도 두 번이면 붙는다는 시험인데 왜 난 세 번을 해도 합격하기가 힘든 걸까. 이번에는 사실 시험을 치르지도 못할 뻔했어. 시험장에 도착하기 십 분 전부터 심장이 너무 뛰었거든. 첫 번째 시험 때도, 두 번째 시험 때도 이만큼이나 긴장한 적은 없었는데 왜 세 번이나 본 시험이 이제서야 떨렸는지 잘 모르겠어.

시험장에 도착해서 입실해 대기하고 있는데 사람들이 되게 분주하더라. 그 모습을 가만히 앉아서 보고 있는데 갑자기 눈물이 났어. 왜였을까. 무서웠나. 세 번이나 불합격할까 봐 겁이 났나. 아무런 생각도 걱정도 들지 않았는데 마음이 너무 무거워서 견딜 수가 없었어. 시험이고 뭐고 다 때려치고 나갈까 수십 번을 고민하다가 시험 감독관 분들이 입장하셔서 포기하지만 말자는 심정으로 응시했어. 네 번째 시험은 응시하지 않을 생각이야.

솔직히 말해볼까. 나 사실 이렇게 계속 불합격하는 거에 도저히 익숙해지지가 않아. 사실 나 여기 재능 없다는 거 시작했을 때부터 알았는데. 그 때라도 그만뒀으면 후회는 됐어도 지금처럼 힘들지는 않았을 텐데. 처음 관심 가는 분야가 생겨서 나름 큰 돈 들여 설레는 마음으로 학원에 갔는데 남들은 이상하리만치 빠르고 견고한데 나만 모든 게 느리고 엉망진창이야. 차라리 정말 다 그만두면 괜찮을까.

이 주 전에 예지랑 같이 학교 화장실에 들렀다가 급식 먹으러 가는 길에 그 아이의 친구를 마주쳤어. 기억나니. 내 머리핀이 화려하다고 비웃었던 친구 있잖아. 그 친구가 날 보면서 인사를 건네며 다가왔어. 예지는 그 인사에 대답을 건네며 되받아쳤지만 난 되받아치지 못했어. 꿈이 생각났거든. 괴롭힐 땐 언제고 왜 친한 척하냐며 화내는 꿈을 꾸고는 내가 한심해졌다 그랬잖아. 현실에서 한 번 해보고 싶었어. 내가 무시하며 지나치니 그 친구가 대답을 요구하듯 내 이름을 부르며 두 번째 인사를 건넸어. 눈도 안 마주치고 무시하며 지나치니 옆에 있던 친구에게 기분 나쁜 티를 엄청 내면서 쟤 뭐냐고 욕하더라.

내가 얼마나 행복했는지 알아? 나한테 상처를 줬던 사람에 대한 첫 반항이었어. 나한테 상처를 줬던 사람에 대한 첫 무시였어. 작은 일이었지만 나는 결국 날 지켜냈거든. 그 작은 반항에도 나는 내가 너무 기특해서 이 주 동안을 행복하게 보냈어. 그 아이의 친구가 아니라 그 아이였다면 얼마나 더 좋았을까. 그 아이에 대한 첫 반항이었다면 앞으로 극복에 걸릴 시간이 조금은 감소할 수 있지 않았을까.

요즘은 가족들이랑 주말마다 어딘가로 떠나. 바다에 가서 회를 먹고 오기도 하고 집 근처 카페에 가서 수다를 떨고 오기도 해. 친척 가족들이랑 풀빌라에 가서 물놀이도 했어. 근데 이거 진짜 행복해. 주말이 기대가 되고 기다려지게 돼. 아무리 피곤해도 아침 일찍 일어나서 외출 준비를 마치고 좋아하는 노래를 들으면서 집을 떠나잖아. 그 짧은 순간 순간들이 다 행복이야. 기대되는 순간, 기다려지는 순간, 일어나는 순간, 노래를 듣는 순간, 집을 나서는 순간. 네가 보면 정말 좋아할 텐데.

편지 다 읽고 있는 거면 알겠지? 올해 일 월에 보냈던 편지에 내 버킷 리스트 있었잖아. 일 번으로 적어놨던 손톱 물어뜯지 않기. 내 손톱을 볼 때마다 경악했던 네 모습이 생각나서 써 놨던 버킷 리스트인데 작심삼일은 무슨 하루도 채 지키지 못 했어. 반나절만에 망해버린 버킷리스트여도 노력은 해보고 싶어서 매일매일 손톱 안 물어뜰으려고 노력 중이긴 한데, 정말 습관은 한 번 잘못 들이면 평생 가는 것 같아. 지키기가 너무 어려워.

메니큐어를 발라놔도 메니큐어 먹으면서까지 손톱을 물어뜯고 있고, 열 손톱에 모두 테이프를 붙여놔도 다시 곧장 떼서 물어뜯고 그래. 이 정도면 거금을 들여봐야겠다 싶어서 태어나서 처음 네일샵에 가 이십만 원어치를 쓰기도 했어. 근데 그것도 다음 날 바로 다 물어뜯어버린 거 있지. 의지가 나약한가 봐. 간절하지가 않은 건가.

어떻게 사람 손톱이 일 센치도 안 되냐며 징그러워하던 네 모습 때문에, 여자애들이 손톱에 비싼 돈 들여 네일아트 하는 거 싫은데 나는 제발 했으면 좋겠다고 말하던 네 모습 때문에 빠른 시일 내로 고쳐보고 싶었어. 혹시 모르잖아. 손톱 물어뜯지 않고 예쁘게 길러서 손톱 사진이랑 편지랑 같이 보내면 네가 잘했다면서 다시 편지를 보내주기 시작할지. 네 글씨체가 그리워서 네가 써줬던 편지들을 계속 뒤적이며 보고 있어. 네 마지막 편지는 분명 날 응원하던 편지였는데 왜 넌 인사도 없이 떠난 건지 이해가 잘 되지 않아. 네가 내게 해줬던 말들 중 제일 멋진 말이었는데.

다 좆같아 그냥. 언제 잊혀지는지 모르겠는 이 구질구질한 열여섯 살도, 편지를 읽는지 그냥 버리는지 모르겠는 네 모습도, 좋아한다면서 다가와놓곤 알고 보니 여자친구가 있다던 일 년 동안 짝사랑한 저 남자도, 이십만 원씩이나 들여놨더니 하루만에 다 망가져버린 네일아트도, 울면서도 죽어라 열심히 했더니 세 번이나 떨어진 빌어먹을 자격증 시험도, 로데오 거리에서 가끔 마주치는 재미있는 사냥감을 발견한 듯 신나 보이는 눈을 가진 그 아이도, 무슨 말을 하고 싶은 건지 나조차도 몰라서 횡설수설해대며 세 번째 쓰는 이 편지도 다 좆같아. 편지 그만 쓸래 나. 이제 나도 너랑 뭐 더 안 할래.

ps. 감정 기복이 심해 미안. 방금 한 말 다 거짓말이야. 진심 아니었어.

온

지난 이 년을 생각해보면 나는 늘 그 아이와 열여섯을 잊는 데에 집착이 심했던 것 같다. 원인을 찾고 싶었다. 원인을 찾으면 조금이라도 속이 편안할 것 같았다. 실은 아직도 남은 삶의 목표가 마치 열여섯을 잊는 것인 것처럼 계속해서 감정 기복을 겪고 잊는 방법을 찾기를 반복하고 있다. 뭘 해도 잊혀지지가 않으니까. 미친 듯이 열심히 살면서 생각하지 않으려 노력하면 그 아이는 기다렸다는 듯이 다시 날 찾아왔고, 차라리 이번에 마지막으로 한 번 크게 울고 털어내자며 마지막으로 울자던 다짐도 며 칠 전까지 되풀이됐다. 일상에 잊어야 한다는 강박감이 돗자리를 깔고 누워있는 느낌이었다.

좋아하던 아이돌의 콘서트에 갈 때에도 이번 콘서트를 시발점으로 모든 걸 털어버리고 열여섯을 잊어버리자는 생각으로 집을 나서기도 했고, 여행을 갈 때에도 이번에는 정말 여행지에 모든 것을 버리고 오리라 다짐했으니까. 온전히 받아들이는 법을 몰랐다. 여행을 여행으로 받아들이지 못 했고 집을 집이라 받아들이지 못 했다. 어떤 장소나 어떤 감정들이 내게 열여섯을 잊게 해주는 일종의 장치가 되길 바라서였는지 모든 것에 의미 부여를 하게 됐다.

시간이 해결해주리라 기다리는 것은 적성에 맞지 않았다. 시간은 약보단 독이라는 걸 이미 몸소 느꼈고 괴로운 감각을 느끼며 가만히 앉아 기다리기란 바보 같은 짓 같았으니까. 이 년 동안이나 잊기는커녕 더 힘들어지기만 했으니까. 특히나 올해는 유독 더 열심히, 행복하게 살았는데도 잊지 못 했다는 사실에 화가 나기도 했다. 다른 사람들은 이런 세상에서 살고 있었나, 이런 세상이 일상이었던 건가 싶을 정도로 행복한 날들을 보냈는데도 불구하고.

모든 것을 되돌리고 싶어졌다. 그 아이뿐만 아니라 내 모든 것들을 되돌리고 싶어졌다. 일 년에 한 번씩은 꼭 단발로 잘라 가슴 아래로는 내려와본 적이 없던 머리카락도 열여섯 이후로는 잘라본 적이 없었다. 위생이 좋지 않아 보일까 봐 밖에서는 물어뜯지 않으려던 손톱도 밖이든 집이든 신경 않고 꾸준히 물어 뜯고 있었다. 매일 똑같은 옷만 입어서 오늘도 그 옷을 입었냐며 만나던 친구마다 탄식을 하기도 했다. 그건 단순히 빨래를 하지 않았다거나 귀찮았다거나의 문제가 아니라 애매하게 꾸몄다가 비웃음 살 바에야 차라리 꾸미고 싶지 않은 마음이었다. 그런 이유로 하고 싶지 않은 것들이 늘었다.

열여섯 때 미소가 그런 말을 해준 적이 있었다. 미소는 옷도 잘 입고 화장도 잘해서 부럽다는 내 한탄 섞인 말에, 미소가 꾸미기 시작한 건 내 모습을 보고 난 이후였다는 말이었다. 한껏 꾸미고 로데오 거리에 가는 모습이 재밌어 보이기도 했고 따라하고 싶은 욕구를 일으켰다고 했다. 예지의 생일에 다같이 모였을 때는 하얀색 블라우스를 입고 머리를 높게 묶은 모습이 엄청 예뻤다고 칭찬을 해주기도 했다. 그 모습을 다시 보여주고 싶었지만 그 이후로

이 년 동안은 블라우스라는 것 자체를 입은 적이 없었을뿐더러 미소와 사진 사건으로 멀어져 기회가 없었다.

 적어도 열여섯이 절망뿐이지는 않았을 거라 생각하게 되는 말이었다. 열여섯의 내 모습은 누군가에게 호기심을 자극하기도 했으니까. 내가 날 받아들일 수 있는 사람이고 싶었다. 편한 대로 나답게. 머리를 짧게 잘라도 괜찮고 화장을 진하게 해도 괜찮다고. 성인처럼 보일 정도로 멋지게 옷을 꾸며 입어도 괜찮다고. 다만 손톱은 계속 물어뜯을지언정, 물어뜯지 않으려 노력하는 사람이고 싶었다.

 왜 아무도, 나조차도 내게 잊지 않아도 괜찮다고 말해주지 않았을까. 조용해진 성격도, 꾸미지 않는 모습도, 많이 느려진 발걸음도, 자주 무너지게 되는 밤들도 괜찮다고 왜 말해주지 못했을까.

 책을 써야겠다. 기나긴 열여섯의 장면을 소설 속에 감추어 책을 써야겠다. 학교 폭력에 대한 은밀한 고백인 것이다. 주인공은 나, 등장인물은 그 아이. 다만 이 행위에 대한 죄책감이 없었으면 한다. 책을 써야겠다는 생각이 들었을 때 난 내 고통을 상품화하려고 한다는 죄책감이, 내 고통에 값어치를 매겨달라고 구걸한다는 죄책감이 새로 새겨졌기 때문에. 죄책감 없이 그 아이가 내 세상에 존재하지 않는 온전한 내 시점인 일인칭 시점으로만 책을 쓰고 싶다. 온전히 그 아이를 미워할 수 있게 되면 좋겠다는, 온전히 내가 나를 받아들일 수 있게 되면 좋겠다는 그런 바람을 담은 책인 것이다.

그 책이 나에 대한 반성문이 될지, 그 아이에 대한 고발문이 될지, 그저 내 열여섯을 이야기하는 짧은 회고록이 될지는 나조차도 모르는 일이었다. 아마 책을 써 내려가는 내 마음가짐에 따라 달라지지 않을까. 결말이 해피 엔딩일지, 배드 엔딩일지는 내가 얼마나 이겨냈냐에 따라 달라지지 않을까.

완성된 책을 읽고 있는 사람들은 그 책이 어떤 결말이길 바라고 있을까. 완성된 책을 출간하는 나는 어떤 감정으로 책의 표지를 바라보고 있을까. 적어도 반성문은 아니라면 좋겠다. 열여섯에 대한 마지막 이야기일 텐데 마지막까지 자책이나 하면서 반성문을 쓰고 있다면 그거야말로 정말 내게 큰 잘못을 저지르는 일일 테니까. 이 책을 끝으로 내 모든 것도 끝내야지.

일인칭 시점, 그 곳은 내 오랜 트라우마가 있는 곳.
이제 그 어린 시점을 그만 들여다보고 싶다.

2023년 8월 9일, 박윤아에게.

열네 살 때 너와 같은 초등학교를 다녔던 친구가 알려준 적이 있어. 네가 다녔던 초등학교는 일 년마다 돌아가면서 서로 왕따를 시키는 이상한 문화가 있었다고. 그 중에는 너도 예외가 없었고 왕따였던 적이 있었다면서. 너무 모순적인 것 같아서. 괴롭힘을 당한다는 게 얼마나 절망스러운 건지는 그 누구보다도 네가 더 잘 알고 있었을 텐데 그런 네가 나를 괴롭혔다는 게. 내가 얼마나 괴로워하고 울고 있을지, 얼마나 기억하게 될지 네가 나보다 더 잘 알고 있었으면서 그 괴롭힘을 시작했다는 게.

너에게 해야 할 질문들을 나에게 수도 없이 했어. 왜 나였는지. 이유가 뭐였는지. 죄책감은 들지 않았는지. 너는 내가 왜 갑자기 오바하나 싶겠지. 고작 이런 일로 왜 몇 년씩이나 우려먹나 싶겠지. 네가 한 짓이 고작 그런 일이 아닐 수도 있다는 거, 넌 죽었다 깨어나도 몰랐겠지. 그러니까 네가 이 년 전 겨울 방학을 앞둔 그 날 내 상처들을 고작 오해로 치부하면서 외면한 거였겠지.

난 열여섯을 생각하면 목구멍부터 아파오는데. 있잖아 나는, 나는 열여섯 이후로는 내가 너무 어려워졌어. 내가 좋아했던 게 뭐였는지 형체도 잘 기억이 안 나고 싫어하는 것만 엄청 늘어서는 뭐든 일단 피하게 돼. 자기 전이면 귀에 미친 듯이 울려대는 이명 때문에 쉽게 잠들지도 못 해. 병원에 몇 번을 가도 귀에는 이상이 없다는데 자기 전이면 각기 다른 주파수의 이명이 내 밤을 망치려고 덤

벼들어. 생전 한 번도 눌러본 적 없던 가위에도 눌리는데 그 가위에 눌리면 며칠은 밤을 꼬박 새게 돼. 체온이 엄청 뜨거워지면서 고막이 찢어져나갈 듯한 큰 소리의 이명이 들리는데, 사라지지가 않아. 몇 분 동안 눈만 뜬 채로 거기에 있는 거, 얼마나 무서운지 알아? 그저 환청으로 들리는 이명인 것치고는 소리가 너무 커서 진짜 고막이 터질까 봐 무서웠다고.

숨을 쉬느라 흉부가 들썩이는 것조차도 헐떡이는 것처럼 보일까 봐 익사하듯 숨을 참기도 하고 버스나 횡단보도 신호를 놓칠 것 같아도 남들 눈에는 내가 뛰어가는 모습이 멧돼지가 쿵쿵대며 뛰어가는 것처럼 보일까 봐 뛰지를 못 해. 항상 다음 것들을 기다렸어. 누군가 나한테 예쁘다고 해주거나 스타일이 좋다고 칭찬을 해주면 의심부터 하게 돼. 다 거짓말일 거라고.

열여섯이 생각날 때면 너무 죽고 싶어져. 이 년이 지나도록 잊혀지지가 않아서. 내가 점점 더 망가져가는 걸 보는 게 너무 짜증이 나서. 네가 했던 고작 몇 마디, 고작 몇 행동이 날 얼마나 무너뜨렸는지 넌 감히 가늠도 못 할 정도로 정말 너무 힘들었어. 네가 원했던 게 이런 거였나. 그 괴롭힘을 시작했을 때 네가 바랐던 게 이 정도였던 건가. 네가 사람이라면 당연히 아니었겠지.

그런데 봐, 눈 똑바로 뜨고 봐봐. 열여섯의 너로 인해서 내 삶이 어떻게 달라졌는지. 차라리 회피라도 하지 말지 그랬어. 너의 그 원인도 모르겠는 행동에 대해 인정이라도 하지 그랬어. 적어도 그 때 네가 인정해 줬더라면 몇 년 씩이나 울고 죽고 싶어 하지는 않았을 텐데. 아니, 졸업하고서라도 더 이상 괴롭히지는 말지 그랬어. 그랬으면 진작에 열여섯에서 벗어나 이전과 비슷하게라도 살 수 있었을 텐데.

네가 내게 뱉어낸 것들은 욕이 아니었는데도 고작 비웃음 섞인 몇 마디뿐이었는데도 난 그랬어. 너와 함께 겪었던 열여섯 이후로 내가 어떤 삶을 살았는지 언젠가 너에게 꼭 알려주고 싶었어. 넌 좋겠다. 주변이 온통 꽃밭이라 무슨 짓을 해도 예쁜 말만 들을 사람이라. 지금 내가 이렇게 원망 섞인 편지를 보내도 주변 사람들이 신경 쓰지 말라며 되려 널 다독여줄 사람이라. 평범하게 사람들을 만나고 평범하게 대화를 하고 평범하게 세상을 바라볼 수 있는 사람이라 넌, 정말 좋겠다.

나한테 조금이라도 미안했던 적 있어?
조금이라도 죄책감을 가졌던 적이 있어?
후회했던 적은 있어?

너는 왜 잘 먹는지 궁금해. 너는 왜 잠을 잘 잘 수 있고 너는 왜 그렇게 사진을 자주 찍을 수 있는지 궁금해. 너는 왜 학교도 멀쩡히 다니고 왜 매일 화장을 하고 다녀. 너는 왜 친구들을 그렇게 자주 만나. 어떻게 네까짓 게 강아지를 키우고 남자친구를 사귀어. 어떻게 감히 너 따위가 연예인을 좋아하고 새해를 축하해. 감히 너 따위가 왜.

웃지 말아야지. 아무것도 모른다는 눈으로 날 쳐다보지 말아야지. 죄책감을 느끼는 눈으로 날 피해야지. 나는 너와 눈이 마주친 순간부터 심장이 털컥 가라앉는데. 네가 시야에서 사라진 뒤에야 겨우 숨 한 번 내뱉고 그마저도 숨이 차서 힘겨운데. 너와 찰나에 눈이 마주쳤다는 고작 그 이유로 며칠이 힘들어지는데. 왜 씨발 자꾸 너만 아무렇지도 않아. 너는 왜 행복해. 왜 나만 불행해. 너는 왜 울지 않아. 너는 왜 악몽에 시달리지 않고 너는 왜 자책하지 않아. 어떻게 네가 불행하지 않을 수가 있어.

나는 네가 평생 미움받으며 살았으면 좋겠어. 주변 사람들이 다 널 떠났으면 좋겠어. 불행한 일만 일어났으면 좋겠어. 널 이렇게나 증오하는 사람이 있다는 거, 계속 기억하고 살았으면 좋겠어. 나만큼만 힘들어했으면 좋겠어. 고작 미안한 마음 하나 갖고 있다고 달라질 거 없잖아. 이제서야 죄책감 갖는다고, 이제 와서 후회한다고 되돌릴 수 있는 게 아니잖아. 그러니까. 내가 울었던 시간들만큼 속상해하고 내가 손톱을 물어뜯던 시간들만큼 불안해하고 내가 죽으려 결심했던 그 시간들만큼. 그 시간들만큼만 네가 힘들었으면 좋겠어.

네가 행복하지 않았으면 좋겠어.

2023년 8월 9일, 결에게.

이 년 동안 너무 힘들었어. 몇 년 전 기억에 빠져 한참을 허우적 대기도 하고 실망만 남기고 떠나는 사람들을 그리며 매일 밤마다 울기도 했지. 이젠 기억에서 좀 나오라며 자책하던 나들도 날들도 용서할 때가 되지 않았나.

요즘 새로 좋아하게 된 아이돌이 있는데 그 아이돌을 보다가 문 득 멋지다는 생각이 들었어. 그 사람의 단편적인 모습만 보고 그 사람이 살아온 평생을 사랑하게 되는 일인 거잖아, 누군가를 좋아 한다는 건. 박윤아 친구들도 아마 그렇겠지. 박윤아가 날 비웃을 때 옆에서 같이 비웃고 그러지 말라고 말리지도 않을 정도로 박윤아를 좋아했을 거야.

난 나름 잘 잊어내고 있고 잘 이겨내고 있다고 생각했는데 전혀 아닌가 봐. 미소가 그저께 연락을 했어. 미안하다거나 다시 잘 지내 자거나 하는 연락은 아니고, 미소가 다니는 고등학교에 또 내 얘기 가 들린다나 봐. 자기도 지나가다 들은 거라 자세히는 모르지만 얼 핏 들은 내용으로는 내 잘못인 것처럼 보였대. 난 그 말을 듣는 순 간부터 거짓말처럼 몸이 떨렸어. 나와 접점이 전혀 없을 학교에 왜 내 얘기가. 뭔가 잘못한 것도 없는데 뭐가 잘못인 것처럼. 떨리면서 도 나한테 너무 화가 났어. 그 얘기를 듣자마자 몸을 떨고 있는 게 머저리 같아서 참을 수가 없었어. 어딘가 많이 결핍된 사람처럼 보여서 내가 너무 싫었어.

미소는 괜히 얘기한 거라면 미안하다 전하고 연락을 그만뒀는데 솔직히 모르고 있던 것보단 알고 있는 게 나아. 또 바보처럼 아무것도 모르고 좋아하고 있는 것보다야. 그 얘기를 듣는 순간부터 아, 오늘 밤도 절대 그냥 넘어가진 못 하겠구나 생각했어. 당연히 집에 왔을 때는 많이 울었고 또 박윤아 짓인 걸까 한참 고민하고. 짜증나는 핸드폰 전원도 꺼놓고 SNS 계정도 비공개로 돌리고 미소네 학교와 관련 있는 사람이나 친하지 않은 사람은 다 팔로워에서 삭제했어. 아직도 뭐가 그렇게 무서워서.

다음 날 약속이 있었는데 생각이 많아져 밤은 새버렸고 눈은 엄청 부어버렸어. 해가 뜰 때까지도 기분이 나아지지가 않아서 차라리 나가지 말까 고민하다가 나갔는데 역시나 나가지 말 걸 그랬나봐. 폰을 꺼놓은 탓에 약속에 삼십 분이나 지각했는데 아무리 기분이 좋지 않아도 그렇지 폰 꺼놓고 늦으면 어떡하냐는 친구 말에 울어버렸어. 내 잘못인 거 맞는데 이해해주길 바랐나 봐. 내가 잘못해놓고는 괜히 울어서 분위기나 망치고 너무 미안했어. 차라리 나가지 말 걸 그랬어, 정말로.

저녁 먹고 넷이 공원에서 놀다가 헤어지려고 하는 찰나에는 다른 친구가 나에게 유명 웹툰의 여주인공 병이냐며 툭 던지듯 말했어. 물론 그 친구는 내게 그런 트라우마가 있다는 걸 모르니까 장난 식으로 한 말이지만 사실 너무 상처받아서 몇 시간째 계속 생각했어. 도대체 그 캐릭터가 뭐길래. 아니, 내가 잠깐 조용히 있었다고 세상에 무슨 대단한 피해를 끼쳤길래 그 아이도, 친구도 나에게 그 캐릭터 얘기를 꺼내는 건지 이해가 안 가서. 나름대로 분위기 좋게 만들려고 잘 웃어보고, 장난도 치고, 사진도 찍고 잘 놀았는데 잠깐 조용히 있었다고 다시 그 이야기가 나오다니.

열여섯 이후의 나와 비슷한 성격을 가진, 세상에 관심도 없고 조용한 성격인 그 여주인공이 너무 미웠어. 잊으려고 노력했던 단어가 다시 눈 앞에 네임펜으로 그려졌잖아. 그냥 어제는 그런 날이었던 것 같아. 무엇 하나 제대로 도와주지 않는 날. 차라리 가만히 누워 잠이나 자는 게 더 나았던 날.

좀 안 아프고 살 수는 없나. 그만 무너지면서 살 수는 없나. 생일이 오기 전 보내는 편지에는 이겨낸 사람이 되어서 편지를 쓰고 싶었는데. 미안해, 못 이겨내서. 그래도 나름 이겨내려 이것 저것 많이 노력하고 있어. 머리도 단발로 자르고 소설도 쓰고 그래. 열여섯을 떠나보내기 위해서랄까. 단발을 하러 동네 미용실에 갔는데, 우리 동네 시골이라 어르신들이 많이 계시잖아. 어깨에 닿지 않는 단발 길이로 잘라달라고 말씀드리니까 거기 계시던 어르신 분들이 아깝게 왜 자르냐면서 엄청 잔소리 하셨어. 젊을 때인데 이것 저것 다 해보지 왜 빼지도 못하는 검정색으로 덮냐고 안타까워하시고 머리 다 하고 나서는 어리니까 다 잘 어울린다고, 더 깔끔해졌다고 츤데레처럼 칭찬해주셨어. 미용사 분이 궁금해하시더라. 그 나이대면 다들 머리 못 길러서 안달인데 왜 반대로 머리를 자르냐고. 열여섯인 모습으로 죽어보고 싶었다 하면 엄청 이상하게 쳐다보셨겠지. 그냥 마음의 변화가 좀 생겼다고 말씀드리고 나왔어.

  십이 월이 되면 죽을 거야. 십이 월은 아름다우니까. 그 십이 월은 내게 방점이 되어줄 거야. 우리 더 행복할 수도 있었을 텐데. 분명 그랬을 텐데.

온

내가 죽겠다고 다짐했던 건 내가 보낸 편지에 수신자가 사라졌기 때문이었다. 수신자가 없는 곳에 편지를 쓰는 게 습관이 되었고 그 사실은 매번 서글프게 다가와 때로는 죽고 싶게 만들기도 했다. 결이 죽기 위해 나를 떠났다는 사실을 깨달았을 때에는 이미 나 또한 죽기로 결심한 뒤였다.

그제서야 깨달았다. 결은 이미 작년에 죽었다는 것을.

두 고양이

온

책을 쓰기란 생각보다 쉬운 일이 아니었다. 사람들이 관심 가질만한 제목과 줄거리, 거기에 내 마음에도 들만한 결말과 문장들. 그 모든 것들을 만족시키며 책을 쓰기란 완벽주의 성향을 갖고 있는 내게 강박감을 일으키는 일이었다. 내용을 만들다가 깊게 빠져버릴 때면 하던 것을 모두 멈추고 몇 시간을 울기도 했다. 글을 써 내려가는 내내 손톱을 물어뜯기도 했다.

누가 읽을지도 모르는 이 책을 완성시키는 일은 딱히 애정이 가는 일도 아니었다. 부모님이 읽게 된다면 내 얘기라는 걸 눈치채시지는 않을까. 친구들이 읽게 된다면 생각보다 더 깊은 얘기에 당황하지는 않을까. 사람들이 읽게 된다면 나약한 인간이라며 나에게 손가락질을 하진 않을까. 그 모든 걸 견뎌낼 수 있을까, 감히, 내가, 감당할 수 있는 일인 걸까.

생각해보면 그렇지 않다. 학교 폭력 트라우마에서 벗어나고 싶어 책을 쓰겠다니, 그냥 관심받고 싶다는 말을 돌려 말하는 것 같잖아. 그 아이가 어쩌다 우연히 이 책을 읽게 된다고 해도 나한테 미안한 마음 따위는 눈곱만큼도 들지 않아 할 것 같은데. 오히려 더 비웃지 않을까. 고작 몇 년 전 일에, 고작 그깟 일로 라면서.

책을 쓰겠다는 행위의 명분이 될만한 핑계는 존재했지만 명백한 명분은 존재하지 않아서 자주 쓰던 글을 멈추게 됐다. 감정과 기억을 자세히 적기 위해 그동안 썼던 다이어리를 다시 들춰볼 때에, 그 짙은 문장들을 그대로 복사하고 붙여 넣을 때에는 어쩌면 책을 완성하지 못할 수도 있겠다는 생각이 들었다. 내 마음에 드는 책이 되려면 열여섯에 대해 솔직해져야 했으니까. 다시 한 번 더 그 빠져나올 수 없는 굴레에 나를 집어넣고 이 년간의 자책과 질문을 반복해야 했으니까. 정말 그 정도로 힘든 일이었냐고. 그 아이를 시기 질투했던 건 아니었냐고. 난해한 질문들을 다시 질리도록 던지며 상처를 주고 자책은 하지 말라며 어루만지는 손길이 지겨워 책을 쓰는 게 버겁게 느껴졌다.

책을 쓸 때면 항상 손톱을 물어뜯게 되는 것도 신경질 났다. 책을 쓰러 노트북을 열고 키보드에 손을 댄 순간부터 노트북을 닫는 순간까지도 내 손톱은 늘 물어뜯기기에 바빴다. 오늘은 절대 물어뜯지 않으리라 다짐한 날에도 정신을 차리고 보면 손톱을 물어뜯고 있었다. 언제쯤이면 손톱을 물어뜯지 않고 이 글을 완성할 수 있을까. 나는 왜 책의 마지막 장을 쓸 때까지도 여전히 이겨내지를 못했고 여전히 무너지기 쉬운 마음을 갖고 있는 걸까. 책을 써서 이겨내는 게 아니라 이겨내서 책을 쓰고 싶었다.

인정해야 했다. 나에게는 장난이 아니었다는 걸. 고작 그깟 일이 아니었다는 걸. 내 세상이 자주, 오래 무너지게 되는 폭력이었다는 걸. 누가 나약한 인간이라며 손가락질을 할 때에 네가 겪어보고 말하는 거냐며 욕할 수 있는 사람이 되어야 했다. 그래야만 완성할 수 있는 책이었다.

요즘은 뭐하고 지내냐는 친구들의 말에는 책을 쓰고 있다고 솔직하게 대답했지만 무슨 책을 쓰고 있냐는 말에는 그저 소설이라며 거짓말로 대답했다. 사실은 열여덟이 끝나기 전 출간까지 마치고 싶었는데 자격증 시험을 준비하느라 많이 미뤄졌고 결국 십이 월이나 돼서야 겨우 초안을 완성할 수 있었다.

세 번째 자격증 시험을 응시하고 나서 무슨 일이 있어도 네 번째 시험은 보지 않겠다고 다짐했는데 후회할까 봐 걱정이 됐는지 결국 네 번째 시험까지 응시해버렸고 결과는 합격이었다. 자격증 실기 시험을 준비하기 위해 학원을 등록하던 계절이 눈오는 겨울날이었는데 햇빛이 뜨거울 계절이 될 때까지도 결국 시험에 합격하지 못했고, 다시 겨울이 돌아올 때까지도 아직 시험을 포기하지 못했다. 실습하다 실수로 손가락을 다쳐 피가 났을 때 피를 보면 합격한다는 학원 선생님의 말씀 덕분에 하마터면 서러워질 뻔했는데 금방 괜찮아지곤 했던 순간들도 많았다.

네 번째 시험은 이전에 봤던 시험 때보다 가장 노력하지 않았는데 합격이었고 간절한 마음이 사그라들어서 합격 소식을 들어도 크게 기쁘지가 않았다. 자격증 시험도 정말 끝이 났으니 이제 초안만 완성된 이 소설을 여러 번 읽어보면서 수정하고 원고 양식에 맞게 옮기는 일만 남았는데 사실은 폭력을 폭력이라 부른 이후 몇 개월이 지난 아직까지도 계속 책을 내는 게 맞는지 고민하고 있었다.

굳이라는 마음이라고 해야 하나. 그 가냘픈 자책도, 도난당한 스스로도 점점 제자리를 찾아가기 시작해서. 그 잊고 싶다는 마음에도 간절함이 점점 잊혀지기 시작해서. 초안을 써 내려갈 때까지만 해도 날 덮쳐오는 기억들 때문에 언제 죽어도 이상하지 않을 만큼 괴로운 새벽들을 보내왔는데 막상 초안을 다 쓰고 나니 그 괴로웠던 마음들은 온데간데없이 편안해지기만 했다. 여전히 열여섯과 관련된 단어들을 들으면 몸이 떨려오고 자주 핸드폰 전원을 꺼놓기도 했지만 정말 괜찮았다. 점점 무뎌지고 있는 것만 같은데 여기서 책을 낸다고 하는 행동이 마치 내게 낙인을 찍는 행동같았다.

안녕하세요.
저는 학교 폭력 피해자이고 저는 여태까지 죽고 싶은 마음을 품고 살아왔습니다.

내 손톱만 한 지구에 내 손만 한 확성기를 들고서 소리를 지르는 것 같았다. 그 소리를 날 모르는 사람도, 담임 선생님도, 학교 친구들도, 제일 가까운 가족들도 들을 거라니 쪽팔려서 다 그만둬버리고 싶었다. 내 상처를 세상에게 고백한다는 일은 그런 것이었다. 열여섯의 내 모습을 본뜬 과녁판을 만들어 세상 사람들에게 보여주며 다시 한 번 더 상처를 받을 용기도 있어야 했고, 그 상처를 내 것이 아닌 다른 이의 것들로 만들 용기도 있어야 했다. 그래서 지금은 괜찮냐는 그 물음들까지도 사랑할 수 있어야 했다.

더군다나 이 책을 읽고 눈치챌 부모님을 어떻게 달래줘야 할지도 감이 오지 않았다. 몰라도 됐는데 알아서 상처받는 일도 있는 거니까. 몰라서 상처받지 않는 일도 세상에는 있는 거니까. 부모님께 말씀드리면 조금이라도 어려운 마음이 한결 가벼워지지는 않을까라는 내 물음에 결이 그랬다. 이제 와서 부모님께 말씀드린다고 해결할 수 있는 일이 되는 것도 아니라 상처받는 사람만 늘어날 뿐이라고 그 말에 공감해 여태까지 단 한 번도 열여섯의 일과 관련된 것들을 말씀드린 적이 없었다. 언젠가 부모님께 보여드리려 써 놨던 편지도 결의 말을 들은 그 날 찢어서 버렸다.

만약 내가 그 때 결의 말을 듣지 않고 부모님께 말씀드렸다면 결의 말대로 상처받는 사람이 늘어났을지는 몰라도 지금처럼 책을 쓸 상황까지는 오지 않아도 됐을 상황이 아니었을까. 아니, 어쩌면 결의 말을 듣지 않았어도 마음 한 켠에는 과거에 얽매여 부모님 가슴에 못을 박는다는 죄책감이 자리 잡고 있었을지도 모르겠다. 난 부모님 입에서 나온 고작 아름다운 곳에서 아름다운 것만 바라보다 죽고 싶다는 만인의 염원인 말에도 상처를 받아버려서 도저히 내가 죽고 싶었다는 말을 할 수가 없었으니까.

사실 그 죽고 싶다는 생각이 드는 찰나에 부모님 생각이 들지 않았던 것도 아니었다. 내 장례식장에서 엄청나게 울고 있을 엄마 얼굴도, 바보 같다고 말하면서 울음을 삼키고 있을 아빠 얼굴도, 충격이 클 다른 가족들 얼굴도 다 생각났는데 그 때는 그런 거 다 필요 없었으니까. 당장에 내가 미칠 것 같아서 죽고 싶다는 마음뿐이었으니까.

다행인 건 이제 열여섯 살이 생각나도 죽고 싶다는 생각까지는 들지 않는다는 것이었지만 여전히 많이 울었다. 밤새 책을 쓰면서 손톱을 물어뜯은 날에는 날이 서 있어서 아침에 출근하려는 엄마에게 화도 냈으며 방에서 나오지도 않고 뭐하고 있냐는 아빠의 말에

문을 다 잠가놓은 채로 대답도 하지 않았다. 해가 떠있을 때까지 공허로 물들이고 싶지가 않아서 일부로 새벽이 됐을 때 소설을 쓰고 해가 뜨면 잠을 자느라 밤낮이 바뀌기도 했다. 그래서인지 꿈도 더 자주 꿨고.

이제 열아홉 살이 되니까 마지막으로 한 번 어린아이처럼 투정 부려보고 싶다는 마음이 들었다. 속상한 일이 있었다고. 엄마 아빠가 얼마나 슬퍼할지 배려 안 하고 말해보고 싶었다고. 안심 받고 싶었다. 이런 얘기를 들을 부모님은 오히려 내게 고마워할 거라고. 나에게 전혀 미안해하지도, 걱정하지도 않을 거라고. 정작 사과받아야할 사람에게서 사과받지 못 하고 되려 내가 상처를 쥐버린 사람들에게 사과를 받고 싶지 않았다. 하고 싶은 대로 해도 괜찮다고 안심 받고 싶었다.

그러니까 혹여나 몰랐다고 죄책감 가지거나 속상해한다거나 걱정하지 마. 그냥 말하고 싶었던 것뿐이야. 미치도록 죽고 싶었던 날들이 많았어. 내 열여섯은 그랬어. 내 열여덟은 그랬어. 많이 무너지게 되는 십 대였어. 자주 열여섯으로 돌아가게 되고 아직도 그 아이가 내 모든 밤을 차지하게 되는 그런 열여덟이었어. 무엇 하나도 전혀 쉽지 않았던 한 해였어. 그래도 잘 이겨내고 있어. 늦은 고백이고 늦은 후회야. 앞으로는 더 행복할 거야. 누구보다 제일 행복한 앞날을 맞이할 거야. 내가 걷는 길은 모두 쉽고, 뻔하고, 행복하기만 할 거야. 그 행복이 당연하다 느껴질 만큼 행복하기만 할 거야.

내 열아홉은 오직 나로만 가득 찰 수 있을 거야.

2022년 12월 31일, 엄마 그리고 ~~아빠에게.~~

어느 때보다 제정신으로 살기 힘든 날들을 보내고 있었어. 화요일에는 집에 오는 버스에서 일 년 전과 같은 생각이 또 들었어. 이대로 잊지 못한다면 죽어야 마땅하겠다면서. 정말 아무 일도 없었는데 한 시간을 걸러 집에 오는 버스 안에서 갑자기 그랬어. 슬프지도 화나지도 않았는데 말이야. 평생을 이 꼬리표를 달고, 이 증오를 안고 살아가야 한다는 게 너무 역겨워서 없었던 나, 없었던 그 아이, 없었던 열여섯을 만들고 싶었어.

죽고 싶다는 생각이 들면 늘 그래. 세상이 아무것도 아니게 되고 열여섯이 아무것도 아니게 돼. 죽음 앞에서는 모든 게 나보다 작았고 그래서 내 멍청한 머릿속에 드는 생각이라곤 죽음밖에 없었고 아쉽게도 버스에서 내린 내 발걸음이 향한 곳은 높은 건물을 찾아 헤매는 발걸음이 아니라 우리 집 현관문 앞에서 끊긴 발걸음이었고.

수요일에는 울고 싶어서 미칠 것만 같았어. 친구들과 선생님들이 내게 피곤해 보인다고 했고 그 말은 내게 강박감을 만들어버렸거든. 평소처럼 있다가도 웃는 표정으로 고치게 됐고 구부정하게 있다가도 똑바른 자세로 고치게 됐어. 그 때 처음 알았어. 요 며칠 피곤해서 통학할 때마다 잠에 들곤 했는데 잠에서 깰 때면 항상 화들짝 놀라는 게 습관이 됐다는 걸. 눈을 뜰 때면 심장이 철렁 가라앉아. 분명 집이었는데 내가 왜 지하철에 있는 거지. 분명 지하철이 없는데 내가 왜 버스에 있는 거지. 순간적으로 놀랐다가 현실 자각을 하고 다시 잠에 들었어. 단 한 번도 이랬던 적이 없었는데 심장이 자주 제 위치를 잊어버렸어. 열여섯의 기억들이 쭉 생각나면서 그토록 회피하던 병원에 가야할 것 같았어.

화요일에는 버스에서 내리자마자 높은 건물로 들어갈 생각이었는데 수요일에는 버스 타고 뭐 할 생각도 없이 그냥 도망가고 싶었어. 잠깐 어디에 숨어있다가 나오고 싶었어. 지나가는 모르는 사람들을 붙잡고 내 얘기 좀 들어달라고 하고 싶었어. 도저히 집에도 못 가겠고 너무 미치겠어서 지하철 화장실에서 혼자 울다가 친구에게 연락을 했는데 어쨌든 죽을 건 아니니까 그냥 살라고 하더라. 증명해 보고 싶었어. 내가 진짜 안 죽을 것 같냐고.

그리고 문제가 크게 생긴 건 토요일 밤이었어. 샤워를 하는데 그냥 갑자기 서러움이 복받쳤어. 샤워하는 동안 열 번은 주저앉아 울었던 것 같아. 도저히 몸에 힘이 들어가지 않았어. 머리를 벽에 기대고 울다가 웅크린 채로 울다가 바닥에 주저앉아 울다가 다시 일어나 울기를 반복했어. 정말 미치는 줄 알았어. 누가 나 좀 죽여줬으면 좋겠다고 생각하면서 미친 듯이 울었어. 엄마 아빠가 없었다면 아마 진작에 죽고도 남았을 시간이었으니까.

내 몫이었던 것들을 가족들에게 넘기고 도망가는 일은 죽어도 만들기가 싫었어. 엄마 아빠의 평범한 날들을 놓게 하기가 싫어서 나를 놓으려 정말 많이 노력했어. 그래서 참았어. 애기하지도 않았고 죽지도 않았어. 그래서 누가 날 좀 죽여줬으면 좋겠다고 생각했어. 죄책감 없이 죽을 수 있게 누구라도 날 제발 죽여달라고. 감사해하며 죽을 테니 제발 내 모든 삶을 끝내달라고.

어제인지 엊그저께인지 기억이 나지를 않아. 어느 밤부터 울고 있었는지를 모르겠어. 학교 수업에 영향이 갈 정도로 컨디션이 너무 안 좋아져서 월요일에는 학교에 빠졌고 하루 종일 생각하는 시간을 가졌어. 지워지지 않는 그 기억과 악몽에 대해서. 지난 삼 년 동안 내게 쉬웠던 것은 단 하나도 없었어. 늘 어느 생각도 정리되지 못한 채로 아침이 시작됐고 여전히 어느 결말도 없는 채로 새벽을 기다려. 그냥 흘러가는 대로 대충 살아야겠다고 마음 먹었다가 이 마음의 유통기한은 얼마나 될까, 이번에는 좀 오래 버텨주는 마음일까 걱정해. 어느 것에도 크게 집착하지 않고 어느 것에도 높이 서 있지 않으려고 노력해.

그 날 기억나? 월요일 아침에 날 깨우러 내 방에 들어왔다가 바닥에 휴지가 왜 이렇게 널브러져 있냐고 물었잖아. 오늘은 학교를 가지 않을 거라고 말했던 그 날 아침이 기억나? 잠에서 깬 김에 화장실로 갔는데 출근 복장으로 앉아있는 아빠 뒷모습이 보였어. 왜 그 뒷모습이 그렇게 슬퍼 보였는지 몰라. 분명 평소와 같은 아침이었고 평소와 같은 집이었는데도 말이야. 정리되지 못한 어제의 감정 때문이었을까. 그 뒷모습은 너무 답답하고 습했어. 마치 내게 어떤 선택도 하지 말고 어떤 말도 하지 말라는 듯한 뒷모습이었어.

분명 오늘은 말해야겠다고 다짐했는데 난 그 뒷모습이 두려워 또 말하지 못 했어. 만약 내가 죽게 된다면 아빠는 지금과 같은 뒷모습으로 내 사진을 보고 있겠지. 내가 어젯밤 방에서 혼자 울며 촬영했던 그 동영상을 보고 있겠지. 그럼 아빠는 내게 어떤 말을 해줄까. 고생했다고, 잘한 선택이라고 말해줄까. 아니면 미련하다고, 멍청한 선택이라고 말할까.

근데 나 아직도 그러고 살아. 분명히 다 잊었다고 믿고 있었는데 그게 단지 내 멍청한 바람이었던 것처럼 살아. 점점 더 숨을 쉬고 밥을 먹고 잠을 자는 일이 힘에 부쳐. 내가 나를 못 살게 구려고 작정한 것 같다는 생각이 들어서 계속 삶을 포기하게 되고 나를 포기하게 돼. 어쩌면 열여섯에서 벗어나겠다고 애썼던 그 행동 하나하나가 더 나를 열여섯에 가둬놓은 것만 같아서 미칠 것 같아.

그럼 난 어떡해. 또 다시 기다려야 할까. 시간이 알아서 해결해줄 때까지 잠자코 기다릴까. 아니면 그럼에도 불구하고 계속 애써야 할까. 나아지지 않고 오히려 더 초라해진다고 해도 강한 척, 잊은 척해야 하는 걸까. 나는 잘 모르겠어서 그래. 잊혀지지가 않아. 이제는 내 기억이 사실인지 조작된 건지 믿지도 못 하겠고 오히려 그 아이를 이토록이나 증오하는 내가 그 아이보다 더 심한 진짜 괴물 같고 혐오스럽고 그래.

나 어떡해 진짜. 내가 뭘 해야 숨을 쉬는 일에서 원인을 찾지 않을 수 있을까. 내가 뭘 더 해야 밥을 먹는 일에서 회의감에 빠지지 않을 수 있을까. 내가 도대체 뭘 더 얼마나 노력하고 기다려야 이 망할 기억이 모두 지워진 채로 편히 잠에 들 수 있을까. 그만 울고 싶어. 그 눈을 그만 보고 싶어. 그만 노력하고 싶어. 그만 기다리고 싶어. 그만 무너지고 싶어. 누가 내 머리를 가격해서라도 생각을 멈출 수 있으면 좋겠어. 그냥 내 뇌에서 열여섯 그 기억과 감정들을 모조리 지워줘. 그만 죽고 싶어하고 싶어. 아니, 그냥 덜 아프게만이라도 해줘. 나 왜 더 힘이 들고 왜 더 자주 죽고 싶어하는지 모르겠어. 제발 조금만이라도 평온하게 해줘. 이게 한낱 자기 연민이라면 좋겠어. 시간이 지나면 부끄러운 과거였다고, 흑역사 같은 거였다고 말할 수 있으면 좋겠어.

힘들어. 지쳐. 못하겠어. 이건 내가 아니야. 그만할래. 싫어. 억울해. 나 죽고 싶어. 이따위로 사람을 미워하고 열여섯을 잊는 데에 안간힘을 쓰며 살고 싶지 않아. 이건 내 삶이 아니야. 내 몫이 아니야. 나를 돌려줘. 내 삶을 자유롭게 영위하고 조종할 그 권리를 돌려줘. 수백 번 외쳤지만 정말 힘들어요. 나 힘들어요. 정말 못하겠어요. 이렇게 사는 일은 그만하고 싶어요. 정말 지쳐요.

나 죽고 싶었어. 그렇게 말하면서도 아니, 나는 살고 싶었어.
그냥 다 꿈이었으면 좋겠어.

온

이전에는 둔한 사람들이 그렇게 부러웠는데. 무언가에 연연하지 않고 금방 털어내는 모습이 바보 같다 느껴질진 몰라도 표면적으로 보기에는 가장 단단한 사람인 것처럼 보여서. 그 단단함을 닮아가고 싶어서 나도 모르게 그들의 그림자를 따라 밟아보곤 했다. 일렁이지 않을 그림자가 궁금해 위태로울 시점이면 그 그림자를 빈틈없이 들여다봤다. 일렁이지 않을 그림자, 그건 내가 몰라도 한참 몰랐던 거였다. 그림자가 하루에도 수십 번은 일렁이는 사람들이더라, 그 사람들은. 상처받지 않으려고 무뎌지는 마음을 노력하는 사람들. 지겹고, 역겹고, 불쾌하고, 거북하고, 어려운 어딘가에서 나름대로 싸우고 있었던 사람들. 지겨워질 수 없는 감정들을 지겨워지게 만들려고 애쓰는 사람들이었다. 쉽게 무너지지 않을 굳센 경도를 가진 그 단단함에도 결국 척이 필요했던 거야.

결

2024년 2월 9일, 온에게.

지나온 네 편지들을 모두 읽었어. 자주는 아니지만 가끔 넌 열여섯에 침몰하는 날을 보냈구나. 너도 알고 있었겠지만 나 네 이야기에 지쳐있던 거 사실이야. 그래서 네 탓이 아닌 일에 네 탓을 하며 너에게 상처를 주기도 했어. 미안해. 소중한 널 소중히 대해주지 못해서 미안해. 너에게 상처를 줬다는 걸 인정하기가 힘들었던 것 같아. 내게 넌 내 결함을 아주 잘 보여주는 거울 같은 존재였거든. 너에게 상처를 줬다는 걸 나도 잘 알고 있는데 넌 나한테 화도 내지 않고 오히려 고맙다고 해주니까 심술이 났어. 네가 내 말의 의미가 뭔지 잘 알고 있었을 텐데도 위로해줘서 고맙다고 말해주는 모습에 심술이 났다고 해야 하나.

네가 힘들어하면 할수록, 너한테 심술을 부리면 부릴수록 점점 더 내 결함이 잘 보였어. 그런데도 난 사과할 용기가 나지 않았고 사과하고서 달라질 이후의 우리 관계가 두려웠어. 부끄럽지만 사과할 용기가 없어서 도망간 거야. 너무 늦었을지도 모르지만 사과하는 방법을 배우고 싶어서 도망갔어. 미안해.

도망간 세계는 많이 비참할 것 같았는데 의외로 많이 평범했어. 우리만 이런 세계에서 살고 있었던 건가 싶을 정도로 많이 평범했어. 나 그제서야 알겠더라. 우리가 이 지독한 시점을 끝내는 방법은 더 이상 누군가의 사과나 누군가의 후회 같은 게 아닐 수도 있다는

81

걸. 단순히 잊는다는 개념으로 끝낼 수 있는 게 아니었다는 걸.

과거의 나를 없는 존재처럼 여기면서 지우고 도망치는 거. 그러니까 죽는 거. 다시 태어난 것처럼 사는 거. 왜 우리는 마치 그게 정답인 것처럼 맞서려고만 했을까. 도망쳐도 괜찮은데. 이겨내려고 강박감 가지지 않아도 괜찮을 텐데. 그대로를 그대로 받아들이는 방법을 몰랐어서.

도망쳐보기 전까지는 도망이라는 말, 되게 무책임한 말처럼만 들렸어. 둘 중 하나잖아. 돌아가지 못 하거나, 돌아가지 못 했거나. 도망에는 늘 실패라는 말이 단짝으로 따라오는 것 같아서 도망이라는 말이 더 미웠던 것 같아. 어쩌겠어. 우린 더 할 수 있는 게 없었는데. 최선을 다 했는데도 움찔하면 바로 추락이었는데. 최선을 다 한 게 고작 이 정도였는데.

아무도 우리더러 겁쟁이라 놀릴 자격 없어. 우리가 어떤 감정 어떤 생각으로 그 시점을 지나왔는지는 우리만 아는 거니까. 눈 앞에 도망이라는 것밖에 보이지 않으면 앞으로도 우리 자주 이렇게 도망치자. 내가 같이 도망갈게.

온아, 두 달 뒤에 같이 벚꽃 보러 가지 않을래? 남자친구랑 얼마 전에 헤어져서 말이야. 남자친구랑 어떻게 만났고 어떻게 헤어지게 됐는지 모두 얘기해주고 싶어. 더 이상 그 아이가 존재하지 않는 우리는 어떤 십 대 같은 평범한 얘기를 나눌지 궁금하기도 하고 죽기로 결심한 뒤 네 모습은 또 어떤 모습일지 많이 궁금해. 소설 얘기도 들려줘. 지금쯤이면 소설은 얼마나 완성됐을까 어떤 내용일까 궁금해.

소설 얘기하니까 우리 중학생 때 생각난다. 중학생 때 우리 같이 급식 먹고 있는데 국어 선생님이 너한테 오시더니 공모전 안 나갔냐고 여쭤보셨잖아. 너는 글을 잘 써서 공모전 나갔을 줄 알았는데 안 나갔냐면서 내년에는 꼭 나가라고 하셨는데 그 내년에는 시험 때문에 바빠서 공모전 같은 건 안중에도 없었지. 그런 네가 소설을 쓰고 있다니 많이 기대 돼. 나도 네 글을 좋아해서 자주 네 메모장을 들여다보고 사진을 찍어 갔잖아. 중학생 때 우리 국어 선생님도 아마 많이 좋아하시지 않을까. 국어 선생님께서 네 글을 엄청 좋아하셨으니까 네 얼굴도 분명 기억하고 계실 거야. 그 국어 선생님 지금 미소가 다니는 고등학교에 계시는 걸로 알고 있는데 꼭 소설이 완성되면 네 책을 들고 같이 국어 선생님께 가자.

있잖아, 난 네게 사과하는 이 편지를 마지막으로 과거의 나를 온전히 지우려고 해. 완전히 도망가고 싶어. 자책과 후회는 이제 누군지도 모르겠는 그 아이에게 맡겨두고 내 일인칭 시점을 이제 완전히 끝내려고 해. 온아, 널 속상하게 해서 정말 미안해. 날 용서해줄 수 있어? 벚꽃 같이 보러 가줄 수 있는지 꼭 답장해줄래.

결

팔 월이 지난 후로 해가 바뀌고 이 월이 될 때까지도 온에게 편지가 왔던 적은 단 한 번도 없었다. 들려오는 애기로는 책을 쓰고 있다고 했다. 일 월이 되면 죽을 거라더니 장례식장에 오라는 문자 같은 게 없는 걸 보면 온은 정말 죽었나 보다.

사람마다 살아가는 원동력을 얻는 방식은 많이 다르다. 온과 나에게 있어 그 원동력을 얻는 것이라 함은 죽는 것이었다. 운동을 해서 생각을 날리는 것으로도, 차라리 다 털어놓으며 시원하게 울어버리는 것으로도 온과 나는 살아가는 데에 있어 원동력을 얻지 못했다. 오히려 그렇게 노력해도 원동력을 얻기는커녕 더 지쳐가고 있다는 사실에 절망감에 휩싸일 뿐이었다.

그게 내가 온을 떠나 죽기로 결심한 이유였다. 온이 그 아이에 대해 절망 섞인 편지를 보내올 때마다 난 죄책감밖에 들지 않았으니까. 지나온 과거에 대해 사과할 용기가 나지 않았다. 그 아이를 같이 욕해줘도 모자랄 시간에 너에게 잘못이 있다는 것처럼 말해 미안하다고. 내 죄책감을 핑계로 네 이야기를 대충 읽고 서툴게 위로해 미안하다고. 그렇게 사과할 용기를 갖기 위해 과거의 나를 들춰보면서 과거의 나를 조금씩 지워오고 있었다. 과거의 나를 지워둬야, 그 죄책감이 모두 잊혀져야, 현재에 집중해야 온이 행복해질 수 있을 것 같았다. 그게 내가 삶의 원동력을 얻는 방식이었다.

거짓말처럼 온에게 더 이상 편지를 쓰지 않고 온에게서 오는 편지도 읽지 않으니 마음이 편해졌다. 그 짙은 죄책감들이 거짓말처럼 씻겨 나가는 것이었다. 다른 학교에 다니는 남자친구를 사귀었을 때에는 온의 생각조차도 나지 않았다. 난생 처음 남자친구에게 꽃다발을 받아봤을 때도, 그게 일상이 된 것처럼 만날 때마다 꽃다발을 선물 받았을 때도 온에 대한 미안한 마음이나 과거에 대한 죄책감 같은 것들은 들지 않았다.

이런 세상을 배우고 싶었다. 이런 세상을 알려주고 싶었다. 작은 감정들이 쌓이고 쌓여 큰 너울을 만들어버렸을 때, 그 너울이 나를 덮치려고 할 때, 미치도록 그 너울에게서 흔들려지고 있을 때 애석하게도 그 너울을 가라앉히는 건 생각보다 더 하찮은 것일 수도 있다는 걸. 아마 온이 책을 쓰기로 결심한 건 그래서가 아닐까. 그래서 온은 행복해질 수 있을까.

온의 칠 월 편지에 나오는 그 남자는 열일곱 살 때부터 열여덟 살 때까지 온이 짝사랑했던 남자인데 마치 온을 장난감 다루듯 대하곤 했다. 여자친구가 있지만 곧 헤어질 거라며 기다려달라 해놓고는 몇 달 동안 여자친구와 헤어지지 않았다고 했다. 갑자기 몇 달간 연락을 끊는 일도 잦았으며 몇 달 뒤 돌아와 하는 말은 여자친구와 헤어졌지만 여자친구가 자기를 너무 좋아해서, 너무 매달려서 안쓰러운 마음에 재결합을 했다는 그런 변명뿐인 말이었다.

온은 그럼에도 그 남자를 계속해서 좋아했다. 상처받고 울면서도 그 남자와의 장면들을 놓지 못했다. 자기는 이렇게라도 사랑받을 수 있으니까 그 모습이라도 좋다면서. 그 때는 온의 말이 이해가 가지 않았다. 얼마나 자기가 자기를 미워했으면 그런 말을 했는지 그 말을 이해하는 데에 일 년이나 걸렸다.

온이 수없이 떠올렸던 생각들은 어쩌면 그 아이에 대한 증오보다도 자기가 자기를 사랑해줬으면 하는 마음이 아니었을까. 제발 나 좀 지켜달라고 소리치고 있던 게 아니었을까.

고작 말뿐이었지만 누군가 무너지게 되는 순간부터는 고작이 아니게 된다. 그럴 때는 사과를 해야 한다. 내 의도가 좋은 의도였든 나쁜 의도였든 그게 얼마나 상처를 줬든 상대가 아프다 말한다면 상처 줘서 미안하다고 사과를 할 줄 알아야 한다. 미안하다는 말을 하지 못한다는 건 어려서 잘 몰랐다거나 사과에 익숙하지 않았다거나 하는 핑계로 변명할 수 없는 것이었다. 결국 사과를 받지 못하고 떠돌아다니는 방랑자들은 사과해줄 사람을 찾아 자기 자신을 학대하고 얼굴도 모르는 누군가를 의심하게 되기도 하니까. 그 사과 한 마디가 뭐라고, 사과 한 마디면 모든 인생이 자유로워질 것처럼 자주 그 사과를 갈구하게 되기도 하니까.

그 아이가 상처를 줬던 사람은 온뿐만이 아니었고 그 아이가 사과해야 할 사람도 온뿐만이 아니었다. 그 아이는 온에게도, 내게도,

온의 가족들과 친구들에게도, 온이 장차 만나게 될 사람들에게도 큰 죄를 지은 것이었다. 고작 한 명에게 던진 그 작은 말들이 얼마나 많은 사람들에게 상처를 준 건지는 그 아이만 모르는 일이었다.

장담컨대, 그 아이는 절대 온에게 사과를 하지 않을 것이다. 수많은 죄책감을 느끼게 되더라도, 뒤늦게 잘못을 뉘우치게 되더라도 절대 사과를 하지 않을 것이다. 그렇게 해서 사과할 사람이었으면 진작에 반성하는 티라도 내며 살았을 테니까. SNS에 중학생 때를 그리워하는 글을 적어 올린 순간부터, 고등학생이 될 때까지도 누군가를 계속해서 괴롭히며 살았던 순간부터 이 일은 얕은 사과 따위로는 되돌릴 수 있는 일이 아니게 됐으니까. 사과에도, 용서에도 각자가 받아들일 수 있는 유통기한이 있는 거니까.

그러니까, 온과 나에게 있어 결국 삶의 원동력을 얻는 방법이란 도망밖에는 없었다는 말이다. 과거로부터의 회피, 시선으로부터의 외면, 자책으로부터의 유영. 자유를 가져다줄 수 있는 형체가 없는 그 무언가들. 줄곧 그것들만을 쫓아 그 수많은 걸음들을 걸어왔다.

말이 칼이 된다. 칭찬조차도 누군가에겐 상처가 되어 버린다. 의도하지 않고 내뱉은 말인데 의도한 것처럼 왜곡되어 상대도 내게도 표면이 거친 흉터를 남긴다. 형체가 없는데도 누군가를 오래 무너뜨릴 수 있다. 형체가 없는 것, 그러니까 증명하지 못하는 것.

상처 주기 쉽상. 상처받기 쉽상. 오해받기 쉽상. 예민해지기 쉽상. 그래서 더 조심해야 할 텐데 어째서 나는, 그 아이는, 누군가는 이리 쉽게도 말을 내뱉고 있는 걸까. 서로를 이해하지 못해 틈만 나면 어디서든 전쟁터가 벌어진다. 말 실수로 인해 말로써 세상에게 매장을 당하고 그 말들로 인해 말로 적힌 유서는 다시 가족과 친구들에게 상처가 되어버린다. 오해를 풀 새도 없이 말로 퍼져버린 소문은 걷잡을 수도, 없었던 것처럼 만들 수도 없게 된다.

인터넷을 켜면 다들 얼굴을 가리고는 자기 생각을 늘어놓으며 말다툼을 하기에 바쁘고 틀린 생각을 다른 생각이라고 확신하며 틀린 말들을 내뱉어버린다. 일단 생각나는 대로 모두 늘어놓고는 아니면 말고 시전. 정작 조심해야 할 사람은 당당해지기만 하는데 조심하지 않아도 될 사람이 더 조심하게 된다. 이해할 생각이 없다. 이해하고 싶어하지 않는다. 나의 시점만 소중한 사람들. 책임질 수 없는 일에 가볍다. 책임질 수도 없으면서 가볍다.

세상이 불편해진다.

온

책을 써 내려가는 내내 열여섯의 온을 지워오는 연습을 했다. 책이 결말에 다다를수록 책 속의 나는 내가 아닌 다른 사람이 되었고 책 속의 이야기도 내가 겪었던 일이 아닌 소설 속 가상의 인물이 겪은 한 사건에 불과했다. 출판사에 출간을 의뢰하기 전까지 내가 쓴 이 책을 수십 번을 읽어보고 수정했는데도 그저 남의 이야기를 엿듣는 기분밖에 들지 않았다. 사실 그렇게 믿으려고 애썼는지도 모르겠지만 더 이상 내 것이 아닌 건 확실했다. 나의 열여섯도, 나의 트라우마도 아니었다. 이것도 이겨낸 거라 말할 수 있으려나.

처음 이 책을 써야겠다 마음 먹고 첫 문장을 쓸 때까지만 해도 뇌에서 쏟아지는 감정들로 인해 여전히 열여섯이 어렵기만 했는데 기어코, 무사히 책은 완성이 되었다. 초등학생 때부터 그림을 잘 그리던 세라에게 표지 디자인을 부탁했고 우여곡절이 잠시 있긴 했지만 표지도 마음에 들게 완성이 됐다. 사실 세라에게 표지 디자인을 부탁할 때까지도 이 책을 내는 게 정말 맞는 걸까 괴로움에 잠기던 날들이 많았다.

더 이상은 그 아이가 생각나지 않을 것 같아서 이 책은 그냥 이렇게 마무리 지어도 되는 게 아닐까 싶었다. 결에게서 오랜만에 편지가 왔을 때 그 편지를 읽고서야 책을 내야겠다 비로소 마음을 굳힐 수 있었으나 계속해서 고민이 되어 결의 편지를 수시로 읽으며 눈 감고 저지르고 말자는 심정으로 출간을 기다렸다.

내용만 화려했던 책에 화려한 표지를 장식해주는 날에는 오늘만큼은 정말 손톱을 물어뜯지 않아야겠다고 다짐하기도 했다. 그 다짐을 지키려 책에 표지를 장식해줄 때에는 군것질거리를 먹으면서 손톱을 물어뜯지 않기 위해 애썼지만 결국 마지막까지도 침 냄새로 범벅이 된 채로 끝나버렸다.

미소와의 관계를 회복하고 싶어 미소에게 거의 일 년 만에 연락을 보내기도 했다.

얼굴 한 번 보고 얘기할 수 있을까.

난 너랑 할 얘기 없어.

화해하자는 내 말에 흔쾌히 받아주는 꿈 속에서의 미소의 모습을 보면서 많이 서러워진 탓인지 홧김에 꿈에서 깨자마자 문자를 보낸 것이었다. 기대했다. 미소는 내가 먼저 다가와주길 기다렸을 거라고. 그래서 더 초라해졌다. 같은 마음일 거라 확신에 차 있었던 게 사실은 불쾌할 정도의 망상에 지나칠 뿐이었다.

솔직히 말하면 사진 사건에서 미소에게 실망하지 않았던 것도 아니었다. 가끔, 아니 자주 내가 미소에게 준 마음의 크기와 미소가 내게 준 마음의 크기를 비교해보곤 했으니까. 미소를 빌런 취급하며 미워하기도 했다. 미소를 미워하기 위해 애쓰면서도 미소를 미워할 수 없었던 가장 큰 이유는 결과 나눴던 정만큼이나 미소와도 감당할 수 없는 정을 나눈 탓이었던 것 같다.

솔직히 말하면 실망도 크게 했고, 자존심도 많이 상했고. 그래서 연락 안 하고 기다렸고, 결국에는 자존심 다 버리고 연락했고, 확인해보고 싶었다. 얕지만 누구도 필사할 수 없는 우리의 감정을 여전히 미소가 간직하고 있으면 좋겠다고. 나처럼 미소도 날 기다리고 있던 거라면 좋겠다고.

화해할 생각 없다고 연락왔다. 잘 지내라고 답장했고. 이제 미소가 꿈에 나올 일은 없겠다.

열아홉의 삼 월은 많이 새삼스러웠다. 마지막 십 대를 장식해줄 친구들을 만나는 개학 날, 긴장을 많이 한 탓인지 중간 중간 계속 떨지 않으려 애를 많이 썼다. 심호흡도 해보고 손도 꼬집어보고 발바닥을 땅에 완전히 붙였다가 다시 떼보기도 했다. 일주일간은 거의 매일 집에 올 때마다 울었다. 누가 또 괴롭혔다거나 친구가 생기지 않는다거나 하는 문제는 없었다. 경직이 돼서 힘들었다. 얼어 있던 공기가 집에 오는 순간 따뜻해져 서러움에 울었을 뿐이었다. 일주일 만에 단짝 친구도 생겼고 매일 같이 급식을 먹는 친구들도 생겼다.

이상하리만치 아무 걱정도 들지 않았다. 피곤하다는 생각도, 기뻘린다는 생각도, 저 사람의 행동 뒤에는 내가 볼 수 없는 어떤 의도가 분명 있을 거라는 음침한 걱정 따위도 들지 않았다. 삶의 목표가 사라져서, 잊어야겠다는 강박감이 사라져서 남은 내 시점의 초점이 자유를 찾았다. 이상하리만치 평범해서 슬펐다. 이런 세상을 조금만 더 일찍 알았더라면 하는 아쉬운 마음이 들어서.

이대로, 이대로만 쭉 편안했으면 좋겠다. 내 열아홉이, 내 평생이 편안했으면 좋겠다. 아프지 않을 수는 없더라도 되도록이면 금방 이겨낼 수 있으면 좋겠다. 다치지 않을 수는 없더라도 되도록이면 금방 치유할 수 있으면 좋겠다. 완전히 잊을 수는 없더라도 되도록이면 금방 털어낼 수 있으면 좋겠다. 되도록이면, 될 수 있는 만큼이면 온전히 편안했으면 좋겠다. 모든 아침과 밤이 경직되지 않은 채, 모든 긴장을 내려놓은 채 흘러갔으면 좋겠다.

흘러보낼 수 있는 것들이 전부라면 좋겠다.

Dear, 온

도망가자는 말은 죽지 말아 달라는 말이야.

책을 써 내려가는 내내 너에게, 그러니까 나 자신에게 주고 싶었던 마음이야. 죽고 싶을 만큼 괴로워도 죽지 않기. 너는 네가 갖고 있는 세상이 전부라 네 세상이 깨지지 않으면 다른 걸 보지 못하잖아. 네 세상이 네게 버겁다고 느껴질 때가 생기면 그 세상을 산산조각 내고 나와 다른 세상을 만들어. 모든 기억들을 지워두고 살아.

그렇게 해서라도 죽지 말고 살아줄래. 삶을 업신여기지 않겠다고, 죽음이라는 것과 영원히 이별하겠다고 약속해줄래. 나와 눈을 맞추고 끝까지 버티기로 해. 그렇게 해서라도 지지 않을 자신을 만들어줄래.

밥은 좀 먹고 아파하고, 잠도 좀 자고 나서 아파하자. 일단 오늘을 넘긴 뒤에 아파하자. 죽지는 말자. 그게 어렵게 느껴지면 차라리 도망가자. 그래도 괜찮으니까. 그래도 괜찮은 세상에서 살고 있으니까. 내가 같이 도망갈 테니까. 도망가고 나면 다 없었던 세상이 되는 거야. 세상에 존재하지 않는 세상이 되는 거야. 도망가고 싶어지면 나도 널 찾을 테니 너도 날 찾아. 언제든 같이 도망가줄게.

잠깐 방랑자가 된다 해도 괜찮아. 문제 없어.

결

온은 열일곱 살이 되던 해부터 겨울을 좋아하기 시작했고 여전히 다른 계절보다는 겨울을 유독 좋아하는 것처럼 보였다. 차가운 온도는 너무나도 싫지만 차가운 바람이 몸 안으로 들어오는 걸 느끼는 순간 자기가 진짜 살아있는 것 같다는 느낌을 받는다면서. 그래서 기분이 한결 나아지고는 한다면서 겨울을 좋아했다.

그 말을 들은 이후부터는 나도 겨울이 되면 외출을 하거나 창문을 열 때마다 숨을 크게 들이마시는 습관이 생겼다. 왜 겨울을 그런 이유로 좋아하는지 단번에 온몸으로 느낄 수 있을 정도로 몸 안에 들어오는 차가운 바람은 시원하게 느껴졌고 새삼스레 내가 숨을 쉬고 있다는 사실을 깨닫게 해줬다. 그런 이유로 겨울을 좋아한다는 게 다행인 것처럼 느껴지기도 했다. 고작 겨울이라는 단어 하나에 설레고 욕심이 나고 숨이 쉬어진다니까. 이번 겨울은 조금 많이 길었으면 좋겠다는 바람이었다.

봄에 온과 둘이 한강으로 벚꽃을 보러 갔을 때에는 한강을 보면 뛰어내리고 싶은 생각이 드냐는 장난 섞인 물음을 던지기도 했고 그 아이의 뒷담을 한참 까기도 했다. 도망간 세상에서 그 아이의 이름을 꺼내는 일은 단 한 순간도 없을 줄 알았는데 오히려 더 편하게 가끔 그 이름을 이야기하곤 했다.

중학생 때 국어 선생님은 다시 다른 학교로 가셨다고 해 만나 뵙지 못 했지만 만약 온의 책을 읽게 되신다면 한 번쯤은 우리를 떠올려봐주시지 않을까. 온이 책을 출간한지 두 달이 지났지만 난 아직 온의 책을 읽어보지 못 했다. 온의 책에 나오는 나는 어떤 모습일지, 온이 나를 어떤 사람으로 담아냈을지 겁이 났다.

온은 그런 나를 위로하듯 이 책을 읽고 나를, 그리고 자기를 비난할 수도 있는 사람들을 걱정해 책의 제목으로 방어 기제를 만들어놨다고 했다. 소설 속에서 온을 비난하다가도, 나를 비난하다가도, 미소를 비난하다가도, 심지어는 예지나 세라를 비난하다가도 책의 제목을 보면 그 누구도 비난할 수 없게 만들었다고 했다. 소설에서의 악당은 오직 그 아이뿐이어야 한다면서.

일인칭 시점.

사실 난 책의 제목을 보고 이게 어떻게 학교 폭력에 대한 고발문, 우리가 도망쳐 나온 세상에 대한 회고록이 된다는 건지 잘 이해하지 못했다. 중학생 때 국어 선생님께서 우연히라도 읽으셨으면 해 국어 선생님께서 관심 갖고 고르실 법한 취향을 제목에 반영한 줄 알았다.

고등학교에 입학했을 때 일인칭 시점에 대해 많이 고민했었다고 했다. 사실은 아무도 등장인물의 심리를 온전히 이해하지 못하면서 멋대로 해석하고 단정 짓는 것이 마음에 안 든다고. 지금 와서는 왜 그런 생각을 하며 살았는지 본인도 본인을 이해하지 못한다고 했지만 그 때 그 생각이 소설의 제목을 짓게 하는 데에 큰 영향을 준 것 같았다. 어쩌면 그것도 은연중 자기를 방어하려던 것이었을까.

어쨌든 누구도 모든 등장인물의 시점을 온전히 이해할 수 없으니까. 그래서 일인칭 시점이라고. 살아가는 데 있어서도 누구도 누구를 온전히 이해할 수는 없고 그래서 소중한 거라고.

내게는 어려운 말이었다. 온과는 이제 더 이상 편지를 주고받지도 않았다. 둘 다 대학 준비를 하느라 스트레스가 이만저만이 아닐 테니 간간이 연락을 주고받다가 스무 살이 되면 만나자며 새로운 약속을 했다.

나는 어떤 열아홉을 보낼까. 나는 얼마나 평범하게 친구들을 만나고 얼마나 평범하게 공부를 하고 얼마나 평범하게 잠을 잘 수 있을까. 이전과는 다른 새로운 기대감과 걱정이었다. 내 열아홉도, 온의 열아홉도 온전히 자기에게만 충실한 열아홉이 된다면 좋겠다.

그렇다고 완벽해야 한다거나 실패하면 안 된다는 강박감은 갖지 말고. 평범하게. 가끔 무너지기도 하고 또 무뎌지기도 하면서. 그런 십 대로 마무리하고 새로운 이십 대를 맞이할 수 있게 된다면 좋겠다.

세상의 모든 나와, 세상의 모든 온과, 세상의 모든 미소와 예지, 그리고 세라가 온전한 세상을 맞이할 수 있게 된다면 좋겠다.

작가 김초아

2006.08.31

　처음 이 소설을 쓰기로 다짐하고 제목을 지어주던 것이 작년 삼월이었는데 그새 일 년하고도 사 개월이라는 시간이 지나갔고 그동안 저는 많은 선택과 고민을 했습니다.

　대부분을 차지한 것은 대개 언어에 관한 것들이었습니다. 언어라는 수단을 이용해 누군가를 고립시키고 추락시키는 행위, 언어라는 이유로 더 얕은 죄책감을 느끼는 누군가에 대한 것들이었습니다. 이토록이나 하찮고 작은 것이 어떻게 이렇게나 무섭고 거대하게 느껴질 수 있는지. 하찮고 작다는 건 사실이 맞긴 한 건지.

　지난 날들을 떠올리며 나를 살게 했던 말들과 나를 죽게 했던 말들을 곱씹어 봤습니다. 몇 개월 동안 자리 잡고 있던 강박감에 무너져 울고 있었을 때는 친하지도 않던 사람에게 온 단 열한 글자만으로 일어나고 싶어진 날이 있었고, 아무리 좋은 사람들이 곁에 있고 좋은 말들만 매일 들었다 한들 사과받지 못한 지난 날의 한 마디로 일주일이 무너졌던 날이 있었습니다.

작년 삼 월에 제가 쓰던 일인칭 시점은 사랑에 대한 이야기였습니다. 일인칭 시점의 원래 내용은 온의 칠 월 편지에 나오는 온이 짝사랑하던 남자에 대한 이야기였으나 온이 왜 자존감이 낮은지, 감정 기복이 심한 건 어떤 이유 때문인지에 대해 자세히 써 내려가다 결국 학교 폭력을 소재로 삼게 됐습니다.

학교 폭력을 소재로 삼고 줄거리를 쓰기 시작했을 때는 결말을 정해두지 않고 시작했으며 단순하게 학교 폭력이라는 원인과 트라우마라는 결과가 아닌 학교 폭력이 어떻게 오랜 기간에 걸쳐 사람을 무너뜨리는지에 대한 과정에 대해 말하고 싶었습니다.

왜 시간이 지나도 괜찮아지지 않으며 되려 트라우마가 생기는지, 얼마나 자주 그 장소와 시간으로 되돌아가며 얼마나 많은 자기 파괴를 반복하는지, 어떻게 잊혀지지 않는다는 이유로 죽음까지 생각하게 되는지에 대해 깊이 말하고 싶었습니다. 시작된 순간부터 평생 동안 진행형인 폭력이었기 때문에 원인과 결과가 아닌 과정이어야 했습니다.

무기를 들지 않았다고, 어리고 순수한 모습을 하고 있다고 용서를 빌기엔 이만큼 사람을 무너뜨릴 수 있는 폭력이라는 점에 집중하고 싶었습니다. 어떻게 보면 가장 사소하고 작은 언어라는 게 사실은 얼마나 무섭고 거대한 무기인지. 그게 하고 많은 폭력 중 학교 폭력, 그 안에서도 언어 폭력을 소재로 삼은 이유였습니다.

생일이 오기 이 주 전에 일인칭 시점을 마치며 저는 실제로 온과 같은 고민을 했습니다. 내가 봐도 미흡하고 어리숙한 이 소설이 과연 내가 표현하고자 하는 내용을 잘 전달해줄 수 있을까 걱정됐고, 현실은 칭찬만 해주는 친구들이 아니라 평가를 받는 사회라는 것을 잘 알고 있었기 때문에 그저 좋은 경험 했다고 여기고 혼자만 간직하려 했습니다.

그러나 많은 아이디어를 공유하며 표지 디자인을 멋있게 담당해준 친구가 곁에 있었고 현실에서 존재하고 있을 온과 결에게 조금이라도 응원과 공감이 되었으면 해 미숙하더라도 최선을 다해 마음을 담았습니다.

일인칭 시점을 읽어주신 모든 분들께 감사드립니다.

디자이너 Ankhtsetseg (안세라)

2006.10.02

< 일인칭 시점의 순간 >

첫 번째 챕터 이후 결은 온이에게 영역을 지키고 할퀴는 방법을 알려주지 못했지만 결이 자신은 온전히 습득한 모습입니다. 아무 것도 존재하지 않던, 누구도 이해하지 않을 일인칭 시점의 순간을 그래픽 디자인으로 담아냈습니다.

< 아비시니안 >

사교성이 좋고 주인을 잘 따르는 아비시니안은 울음 소리를 잘 내지 않지만 예민한 성격으로 인해 오래 반복적인 스트레스에 노출될 경우 공격적으로 변하는 습성이 있습니다. 변할 때 날카롭게 돌진하여 공격하죠. 자신을 지킬 때면 극단적인 거죠. 이것이 결이의 캐릭터를 아비시니안으로 고른 이유입니다.

울음 소리가 작고 잘 내지도 않는 결이 자기만의 영역을 지키기 위해 극단적으로 변할 수 밖에 없던 이유. 죽어 살아졌던 이유.

< 나비 >

두 번째 챕터에서 죽기로 결심한 결은 고양이로 표현됐고, 열여섯에 갇혀있던 온은 나비로 표현됐는데, 이는 심리학자 융의 상징을 적용하기 위해서였어요. 심리학자 융은 나비가 영혼을 상징하거나 자기 자신을 상징한다고 했고, 여기서 자기 자신이란 의식과 자각이 없는 무의식 등의 정신 현상 전부를 말합니다.

따라서 온이 자기 자신의 무의식에 갇혀 열여섯에서 나아가지도, 죽지도 못했던 것을 나비로 표현하였습니다. 첫 챕터의 제목이 두 나비인 것도 역시 같은 이유입니다.

< 러시안 블루 >

온(나비)이 결을 따라 죽었을 때의 캐릭터는 러시안 블루로 표현되지 않을까 예상해 봅니다. 러시안 블루는 스트레스를 받으면 혼자 잘 참아내고 온순한 것처럼 보이지만 언제 터질지 모르는 폭탄처럼 계속 쌓고 쌓다가 돌변하는 성격입니다. 나비에서 고양이로 변해도 어디 가지 않을 듯한 온이의 참을성.

< 마무리 하며 >

십 대의 마지막에 첫 작품을 팔 년 지기 친구의 책으로 보여드리게 되어 매우 유의미합니다. 생각치 못한 기회가 만족도 높게 마무리 되어 뿌듯하고 기쁩니다. 그림을 배워본 적도 없지만 감사하게도 주위에서 감각 있다는 말을 들어왔기에 앞으로 비슷한 작업들도 도전해볼까 합니다.

일인칭 시점을 읽어주신 모든 분들께 감사드립니다.